La mort
n'est pas une terre étrangère

Stéphane ALLIX

La mort n'est pas une terre étrangère

DOCUMENT

À Luna

Fais de ta vie, à chaque seconde,
un espace d'exploration dénué de peur et de crainte,
mais habité par l'espérance, la confiance et le courage.
Prends soin des autres, comme de toi-même.

« Quand ma vie sera terminée,
il me restera l'univers à apprendre. »

Jacques LUSSEYRAN

1

La question

En 2001, trois jours avant Pâques, mon frère est mort devant mes yeux. Mon propre frère. Il venait d'avoir trente ans. C'est moi qui ai annoncé la nouvelle à nos parents. Par téléphone ; depuis l'Afghanistan.

Après ce jour qui imprègne tout mon être, qui transforme ma peau, mon sang, mon regard, une question tapie au fond de moi depuis l'enfance éclot soudain en pleine lumière. Il m'a été possible jusqu'alors de ne pas trop y prêter attention, embarqué dans le flot de l'existence, et puis soudain, après ce jour étrange, à chaque seconde je me mets à ressentir cette absolue nécessité d'une réponse. Ne pas l'obtenir devient une déchirure quotidienne. Que se passe-t-il après la mort ? Et cette question en appelle d'autres, tout autant décisives : pourquoi je vis ? Et pourquoi vais-je mourir ?

L'idée de poursuivre dans l'insouciance n'a plus aucun sens. Le monde a cessé d'être satisfaisant. Les plaisirs de l'existence sont devenus creux et illusoires. Il manque l'essentiel à ce quotidien confortable. Même avec mes amis il manque trop souvent l'essentiel. Atroce déchirure que de vouloir apercevoir la vérité au fond des yeux de chaque femme, de chaque homme croisés, ne plus se contenter des mots, ne plus entendre ces phrases vides – irréductible soif d'absolu. Je cherche l'Homme et je trouve un spectacle. Où est cette flamme au fond de leurs yeux ? Où est l'espérance ? Nous vivons tous dans le déni et moi j'ai perdu mon indifférence. M'amuser, laisser passer le temps... j'en suis devenu incapable. Faire semblant que tout va bien, qu'on est éternellement jeune, que notre plaisir immédiat est le summum de l'épanouissement... c'est insensé !

Maintenant je sais que la mort est présente à mes côtés et j'ai décidé de la regarder dans les yeux. Il faut que je lui trouve une place dans ma vie.

— Papa, j'ai peur !

— Si tu n'y penses pas, ça n'existera plus.

Insensé ! C'est pourtant ce que nous faisons tous.

La mort a toujours excité ma curiosité. Cette attirance pour elle m'a jeté sur une ligne de front dès l'âge de dix-neuf ans. Après la mort de mon frère, ma fascination de toujours est devenue totalement intense. Il y a dorénavant en moi une obligation impérieuse de trouver un sens, de mettre la main sur autre chose que des suppositions. Je l'ai entraperçue à bien des reprises, j'ai senti son souffle autour de moi, peut-être est-ce cela qui m'a incité à aller plus loin encore. Je me suis engagé dans une quête, il existe quelque part des éléments susceptibles de m'éclairer sur la nature de la mort, et sur un possible « après ». Durant des années, j'ai cherché avidement, enquêté avec méthode et sans relâche.

Comment retrouver Thomas, comment savoir où il est, qui il est maintenant qu'il est mort ? Tout ce que j'ai lu depuis des années, tout ce que j'ai pu entendre de tant de gens questionnés, tant de livres, tant de paroles, n'a jamais permis une seule seconde que je ressente moi-même la réalité de ce que peut être sa mort. Quel visage auras-tu pour moi ? « La mort n'existe pas », dit Alexandre à son fils dans le film *Le Sacrifice*[1], mais j'ai lavé le corps glacé de mon frère, alors la mort n'existe pas ? Quelle blague ! Et pourtant, devant son corps nu, ma main sur sa peau froide, quelque chose appelle en moi. Quelque chose qui peine à s'exprimer, qui s'effrite et devient confus sitôt passée la barrière de mes lèvres. Quelque chose qui ne se dit peut-être pas avec des mots, que l'on ne trouve pas dans les livres. Comme devant son corps sur la route, une connaissance, un savoir. Une expérience.

J'ai donc cherché une réponse aux quatre coins du monde, avec mon cœur et mon intuition. En plus de la science et de tout le savoir livresque accumulé, je suis allé à la rencontre de chamanes qui me proposaient de me montrer le monde des morts. J'en ai aperçu les prémices. Je suis également parti dans l'Himalaya questionner les lamas tibétains sur leurs connaissances sacrées, j'ai fait

---

1. Andrei Tarkovski, 1986.

des recoupements et j'ai réalisé combien toutes ces techniques millénaires et éprouvées pouvaient me donner accès à d'autres réalités, parfois plus convaincantes. Comme lorsque j'ai découvert, dans un texte tibétain datant du XIIe siècle, la description précise de ce que j'avais vécu à quelques mois de distance au cœur de la forêt amazonienne alors que j'étais en train... de mourir.

La démarche que j'ai décidé d'adopter est différente, elle demande de s'investir personnellement. Il me faut pour cela abandonner quelque chose dont je n'ai jusqu'alors jamais réussi à me départir : moi. Mon idée de moi. Mon identité, cette façade construite depuis les premières heures de mon existence.

D'autres hommes ont donc déjà exploré l'après-vie. Je les questionne. Ils sont des milliers de par le monde et depuis des millénaires, Mayas, Aztèques, sages tibétains, explorateurs de la conscience sur tous les continents. Voyageurs de la psyché conscients de leur mental et conscients de tout ce qu'il y a d'autre.

Une parole que notre science redécouvre avec candeur et stupeur. Lorsque la neurologie, la psychologie clinique, la médecine, la science en général confirment l'acuité et la précision de nombreuses connaissances traditionnelles appartenant à des cultures différentes, et disant toutes plus ou moins la même chose sur le sujet, alors une passerelle s'établit vers cette source de savoir importante, tout aussi valide, sérieuse, méthodique et structurée que notre jeune science occidentale. Nous vivons cet instant de rencontre.

Deux mondes valent mieux qu'un seul face à de telles questions. Lire, comprendre les ouvrages les plus savants, c'est accessible, c'est mon monde, mon connu, ce pour quoi j'ai reçu une éducation, mais pour répondre à la question ultime, tout cela n'est pas suffisant. Ça complique même de ne se baser que sur un seul savoir. Car arrivé à ce stade et pour voir ce que contemplent les yeux de tous ces proches, morts aujourd'hui, il faut que je déconstruise tout le monde mental, intellectuel, abstrait, qui n'a jamais fourni de réponses mais juste des déductions plus ou moins rationnelles, des hypothèses scientifiques ou philosophiques. Avoir conscience des limites de ce système ! Si j'en crois la vision du monde que me propose la société dans laquelle je suis né, la vie ne serait qu'un cortège d'absurdités sans but. Mais ce que l'on nous présente comme une vérité n'est qu'un pari, une supposition prétendument rationnelle. Quelle idée ! Je n'ai pas envie de parier ça. Ça ne m'intéresse pas, je pressens autre chose, tout mon être a l'intuition d'une réalité plus riche de sens. La nature nous le montre à chaque seconde, dans chaque fleur, dans chaque arbre. La méthode consiste à alterner le mental et l'expérience du corps. À côtoyer le philosophe aussi bien que le guérisseur, à entendre le maître spirituel discuter avec le neurologue. Cette alliance à la dimension réelle de l'homme nous offre d'explorer les territoires invisibles et nous autorise les découvertes susceptibles d'avoir une réelle incidence dans notre vie. La tête pour comprendre, le corps pour vivre ce que l'on a compris.

Ce livre est le récit de mon face-à-face avec la mort. De mental, c'est devenu une expérience, un voyage initiatique inhabituel. Un voyage vers la mort, consciemment, en restant vivant. C'est aussi celui, vraiment stupéfiant, de la rencontre avec mon frère et des mots qu'il m'a dits... plusieurs années après sa mort.

2
L'accident

Jeudi 12 avril 2001, sud de Kaboul, Afghanistan. C'est une expérience sans durée, intense et inoubliable comme l'éternité : la mort de ce frère que j'aime. Le fragment d'une autre réalité.

Soudain, ils ne sont plus dans le rétroviseur. On se range sur le bas-côté, ils vont bien arriver. Les roues du pick-up font craqueler la terre asséchée puis s'immobilisent. Autour de nous c'est une plaine en feu faite de caillasse et de poussière. Le ciel est immense, bleu d'opale, frais, envahi de soleil. Ils ne viennent pas. Je me suis retourné au check-point, ils nous suivaient de quelques mètres. Sylvain, Natacha et moi poursuivons notre discussion, personne n'est inquiet mais bientôt nous faisons demi-tour. La route remonte, ruban d'asphalte noir qui fendille un désert vallonné. Personne en vue. Plus une voiture. Quelques kilomètres s'égrènent, indifférents, puis au sortir d'un virage, à quatre cents mètres devant nous, en haut de la côte, nous apercevons un attroupement, des véhicules arrêtés, un accident ! Oui, un accident. Ils sont bloqués derrière : c'est ma première pensée tandis que l'on progresse sur cette interminable ligne droite.

C'est alors que le temps commence à se contracter. Mes muscles se figent, mon corps s'efface, se serre, se bande dans un effort inhumain de perception. Je veux voir, voir ce qui se trouve devant mes yeux. Et je vois, sans comprendre. Une voiture blanche est renversée dans le fossé. Les roues en l'air, à une vingtaine de mètres de la route. Cette carcasse retournée me rappelle quelque chose. C'est impossible. Mais si ! Nous avons un pick-up blanc, celui-là même que j'ai aperçu dans notre sillage, lançant un regard en arrière au checkpoint. Dernière vision : je vois Vadim assis devant, son visage, ses yeux gourmands de vie, celui du chauffeur à la longue barbe et qui regarde droit devant lui, est-ce que j'ai distingué Thomas à l'arrière ? Et là, dans le fossé, métal froissé, c'est bien leur voiture. Je vois mais je ne comprends pas. On continue de se rapprocher, une peur énorme me transperce et soudain, cet homme à terre, cet homme vêtu d'une polaire rouge et ramassé sur lui-même : c'est mon frère, cet homme allongé là ! Mon frère Thomas.

Je tape avec violence sur la boîte à gants. Quelque chose est en train d'exploser en moi. Non !

Le temps devient épais. Dans cette fraction de vie d'une densité hallucinante, juste avant que je ne bondisse à l'extérieur, je sais. Non !

Et lui est calme, je sens que Thomas est calme. Lenteur irréelle, l'impuissance me coupe en deux.

Nous sommes à une quarantaine de mètres. Thomas est allongé sur le côté en position de secours. Je pense qu'il est blessé, qu'on lui a dit de se mettre comme ça. Il émane de lui un calme et une détresse insoutenables. Comme s'il avait attendu sous le choc que nous arrivions enfin. Il a besoin de moi, je ressens sa peine, la confusion que l'accident a provoquée. Et dans le même temps il a ce sourire. Il sourit.

Ce sourire me fusille, ce sourire me fait crever de douleur. Parce que c'est celui d'un frère qui souffre et qui ne se relève pas. Pourquoi ne se relève-t-il pas ? Ce sourire est un souvenir impitoyable.

Mon frère, tu as besoin de moi, tu m'attends, je suis là ! Ne t'inquiète pas. Encore une seconde et je suis près de toi, contre toi, je vais t'aider, te soulager, te rassurer, m'occuper de toi...

Je sors de la voiture, je cours vers lui, quelques mètres, et je vois, je vois qu'il a le visage abîmé, trop abîmé pour être en vie. Il n'a jamais été blessé. Il est mort.

Sylvain, qui a sauté de notre voiture en même temps que moi et couru vers Thomas, se retourne et me saisit, pensant mécaniquement que je ne dois pas voir ça. Je me dégage avec violence. Il perçoit tout de suite que son réflexe est idiot. Renonce ! Je reste debout. Je ne vois rien. Puis je reviens vers Natacha, « Ne regarde pas ! » Je suis hagard. Où est Vadim ? Où sont les autres ? Je demande à Sylvain. Je suis incapable de réfléchir, sensations trop fortes, trop intenses, il me faut quelques secondes à moi. Des parties différentes de mon être deviennent autonomes, mes yeux regardent mais refusent de collaborer avec le cerveau. Quelqu'un prend les commandes, quelqu'un qui n'est pas moi. Il faut survivre, il faut survivre, *je vais te sortir de là, tes yeux sont grands ouverts mais je ne te laisserai rien voir!* Cela dure très peu de temps, mais le souvenir de cet instant est maintenant et à jamais une île perdue, inaccessible, une *terra incognita* au plus profond de moi. Parenthèse irréelle sur le bord d'une route afghane. Un air sec entre dans ma gorge par saccades.

Puis la maîtrise me revient, très vite, parce qu'il le faut. Je rejoins Sylvain un peu plus haut sur la route vers l'ambulance. Il y a une ambulance et cela me semble normal. Vadim est à côté, les yeux voilés. Il est mort lui aussi. C'est impensable! Il y a des blessés autour sur des brancards. Certains bougent. Je suis incapable de savoir où sont le chauffeur de notre voiture accidentée et le traducteur qui se trouvait à l'arrière avec Thomas. Hakim et Siddiqui sont introuvables. Thomas est sur un brancard près de Vadim. Qui l'a monté là? Il a le foulard de Vadim sur la tête. Sa tête blessée. Sylvain et moi lui ôtons sa bague. Il faut demander de l'eau aux médecins, ils nous tendent du savon. Je glisse la bague dans ma poche. Je lui enlève également sa montre rouge, brisée, pleine de sang et de terre.

Puis mes doigts vont toucher ses mains. Sa peau est écorchée par endroits. La poussière imprègne ses vêtements et se mêle à son sang. Elle colle à sa peau. Je saisis sa main dans la mienne, sa main qui n'offre plus aucune résistance, abandonnée, tiède. Sa main vivante il y a encore dix minutes. La vie s'échappe, comment le croire ? Ce corps relâché, délaissé, abandonné. Ses doigts ne serrent pas en retour, ils ne répondent pas. La peau est pâle, transparente. Je suis à genoux contre mon frère, à nouveau maître de moi, lucide mais secoué par la stupeur. D'abord, suivre mon instinct. Mon sang cogne contre mes tempes alors qu'une intuition me commande de leur parler, de leur dire, à mon frère et à Vadim devant moi, de leur expliquer ce qui vient de se produire. Pourquoi ? La confusion recouvre ce lieu. Je ne sais pas.

Mes mains toujours sur les siennes, je lève la tête au-dessus du corps de mon frère, je balaye du regard le vide du ciel et je leur parle :

— Thomas, tu es mort... Thomas, Vadim, vous êtes morts, je vais m'occuper de vous... je vais m'occuper de tout.

Je ne réfléchis pas, tout ce que je vais effectuer dans les minutes, les heures, les jours à venir s'impose spontanément. Je ne suis qu'instinct : ça doit être fait. Et ici, dans la poussière, le sang et le fracas, sur le moment ça m'a semblé utile. Important.

Nous revenons sur Kaboul dans les derniers. Les blessés du second véhicule impliqué dans l'accident ont tous été évacués. Un convoi de démineurs empruntait la même route que nous, l'accident s'est produit quasiment sous leurs yeux, aussi ont-ils prévenu leur équipe médicale immédiatement.

Nous sommes le 12 avril 2001, en Afghanistan, au cœur de la tourmente. Dans un pays de majesté et de mémoire, en proie à la guerre et à la colère depuis si longtemps. Et c'est un accident qui nous arrache ces hommes. Nous ramenons les corps chez nous. Dans notre maison.

J'ai soif. Je n'arrive à boire que de toutes petites gorgées. Les deux blessés, Hakim et Siddiqui, ont été emmenés à l'hôpital, où ils vont mourir. En arrivant dans Kaboul, j'ai de plus en plus de mal à respirer. Une main de géant m'empoigne le thorax et le serre. À l'hôpital je dis à Farad, mon chauffeur, de rester auprès d'Hakim qui se trouve être son cousin. Farad pleure. Je remplace Sylvain dans l'ambulance et nous gagnons la maison. Sylvain et Natacha suivent dans un taxi jaune.

La grosse ambulance militaire pénètre douce-ment dans la cour. Nous sortons les corps. Thomas en premier. Deux lits de cordage sont disposés dans la grande pièce extérieure qui servait de chambre à mon autre frère, Simon, reparti deux jours plus tôt pour la France. Sylvain et moi, aidés des démineurs, posons le brancard sur le rebord du lit puis soulevons le corps. La tête de mon frère se renverse, une flaque de sang se forme sur le sol. On dépose Vadim sur l'autre lit. J'arrache deux longs rideaux du salon puis ceux de la chambre de Thomas. Avec l'un je recouvre le sang, de l'autre Vadim. Je drape le corps puissant de mon frère avec l'étoffe mauve. Et je reste assis avec eux. Leurs pieds dépassent. Je regarde mes mains, elles sont maculées du sang de mon frère. Ses doigts à lui deviennent rigides. Je ne sais pas comment je vais dire ça aux parents. À ceux de Vadim que je ne connais pas, et à mes propres parents.

Natacha a prévenu Antoine, responsable d'une importante ONG mais aussi l'un de nos plus proches amis. La nouvelle se répand dans Kaboul et très vite l'évacuation s'organise. Trouver des sacs de transport, un avion, rapatrier les corps sur le Pakistan. Grâce à Antoine qui prend en charge une partie des démarches, nous décollons de l'aéroport de Kaboul en milieu d'après-midi à destination d'Islamabad dans un petit avion des Nations unies.

Dans mon bureau j'ai retrouvé un mot de Vadim sur lequel il avait inscrit le numéro de sa mère ; celui de mes parents, je le connais par cœur.

3

« C'est incompréhensible »

« Je m'en souviens très bien. Il devait être aux alentours de huit heures lorsque le téléphone a sonné, ta mère est montée répondre, puis elle est redescendue pour me dire de me lever, que tu allais rappeler dans un tout petit moment. Et effectivement tu as rappelé et tu as dit textuellement : "Je n'ai pas une bonne nouvelle." On te demande ce qui se passe et tu ajoutes : "Thomas est mort"... Entre "Je n'ai pas une bonne nouvelle" et "Thomas est mort", il y avait un véritable abîme... D'autant qu'il m'arrive souvent de rêver de choses peu agréables, et il y a toujours un léger décalage avant que je ne réalise que je suis éveillé. Là, j'ai à la fois compris tout de suite, mais en même temps je me dis que ce n'est pas vrai ! Que je vais me réveiller ! Voilà les deux sentiments que j'ai eus, et puis, dans les trois ou quatre secondes qui ont suivi, j'ai compris que c'était réel. Qu'est-ce qui se passe ? C'est incompréhensible. »

« Tu m'as demandé si ton père était avec moi. Je t'ai répondu qu'il dormait encore, alors tu as voulu que j'aille le réveiller, tu rappellerais dans quelques minutes. Ce que j'ai fait, je ne m'attendais à rien de spécial, non, je ne m'y attendais vraiment pas. Je n'ai jamais pensé que vous mourriez en voyage… Maintenant, il y a cette phrase obsédante qui revient souvent : "Thomas est mort. Thomas est mort." Quoi ? Thomas est mort. Je pense que ça ne s'en ira jamais. Ce qui s'est passé après que l'on a raccroché… je ne sais plus… je vais d'une chaise à une autre, je regarde la forêt. J'erre. J'erre dans la maison, dehors, dans sa chambre, je regarde ses affaires, ses objets… Dans mon atelier, je l'ai toujours gardé, un petit papier autocollant… un Post-it : "Thomas est mort ce matin." J'ai écrit ces mots, et aujourd'hui il est tout effacé par la lumière. Je ne l'ai pas mis au soleil pourtant. J'ai toujours gardé ce papier… je pense que j'ai erré un peu partout. »

« Ta mère et moi étions un peu hébétés… Après avoir raccroché, je suis allé à la fenêtre regarder le paysage… Plus tard, je suis allé faire des courses au supermarché. À la radio, tout le monde racontait des histoires marrantes. C'est ce qui paraît curieux pour les gens à qui ce genre d'expérience n'est pas arrivé, on déjeune quand même. On prépare le repas quand même, on va faire les courses, comme si la vie normale continuait tranquillement, alors qu'il y a ça en surplomb. Pourtant les deux coexistent. Sur le chemin j'ai croisé la voisine en voiture qui m'a demandé : "Ça va ?" Je lui ai dit : "Ben non, ça va pas du tout, Thomas est mort."

C'est incompréhensible. Comme le puzzle de la vie courante, toutes les pièces se mettent les unes dans les autres, mais il y en a une seule qui ne colle plus. Une pièce incompréhensible, impossible à placer, à emboîter avec le reste.

« C'est comme si tu marchais sur un chemin et puis tout d'un coup tu arrivais au bord d'un précipice : une espèce de trou sans fond, tu ne sais pas ce qu'il y a... le seul mot qui traduit le sentiment que l'on a, c'est "incompréhensible". Tu arrives devant une chose mystérieuse, terrifiante. Où est-il ? Il n'y a pas de réponse. C'est ça qui est incroyable, je le connaissais tellement bien. Mon fils. Il faisait partie de la vie courante, on discutait, et tout d'un coup, on est séparés par le néant. Il est parti dans un monde inimaginable, incompréhensible. Cet homme que je connaissais tellement. Qui était tellement familier, qui était à côté de moi, où est-il ? Je n'ai pas de réponse. De temps en temps je me dis – mais c'est purement intellectuel – que quand moi-même je mourrai, je le retrouverai. Ce n'est pas une sensation, c'est un raisonnement intellectuel. En réalité, je n'y crois pas moi-même, je l'ignore... Le néant, ce n'est pas un endroit, ni un temps, ni rien, voilà ce qui est tout à fait effrayant : cet homme tellement familier, mon fils, subitement dans le non-être, dans le néant où je serai moi-même. C'est tout à fait effrayant, oui. Je n'exprime pas là une certitude, mais que ce néant puisse être une possibilité... c'est effrayant. Pas une espèce de précipice, ni un abîme sans fond, seulement l'inconnu. C'est cela que je veux dire par "néant" : je ne sais pas... et ça me terrifie ! »

4

« Je contrôle »

Thomas vient de fêter ses trente ans et soudain il se trouve immobile à jamais, sous un tissu mauve.

Je raccroche le téléphone. La douleur de nos parents me déchire littéralement. Je fais quelques pas à l'extérieur et les imagine tous deux, debout, dans le salon. Le jour se lève sur la forêt, sans doute fait-il un peu frais dehors. Les oiseaux filent comme des flèches entre les branches des sapins, la rosée recouvre la campagne, une brise légère fait frissonner les taillis. J'ai peur. J'ai peur que le choc soit trop insupportable pour eux. Je suis triste, tellement triste de leur avoir appris une nouvelle pareille. Comme c'est indicible. Annoncer à ses parents la mort d'un fils, de mon frère. Ils n'ont pas pleuré, il n'y a pas eu de cri, juste une stupéfaction silencieuse, et c'est encore pire.

Après avoir raccroché, je suis à terre. Mais il me faut prévenir une autre maman, celle de ce jeune garçon aux yeux couleur de mer, Vadim. Il travaillait lui aussi avec nous à ce moment-là et vient également de perdre la vie en même temps que mon frère, Hakim et Siddiqui. J'ai le sentiment d'être comprimé dans une poigne géante, que l'air glacé me pique, me fait tourner la tête, que trop de sang cogne contre mes tempes.

Il fallait que je sois en contrôle, et je l'ai été, dès les premières secondes, mais aujourd'hui je ne sais plus où est ma peine. Je me suis perdu dans les méandres de ma propre tête. Où sont les larmes ? Où tout cela a-t-il bien pu disparaître ? Ma douleur est là, présente mais enfouie, prisonnière du personnage que je joue. Il n'est pas aisé d'avoir conscience des rôles que nous interprétons parce que ces histoires sont notre vie, nous les appelons « moi ». Cela rend confus le décryptage de nos émotions. Et lorsque la douleur est intenable, tous nos repères ordinaires sont dépassés.

Après mon retour d'Afghanistan, j'ai eu besoin de temps pour intégrer ce fait majeur à mon existence : nous étions trois frères, Thomas, Simon et moi, et soudain je ne pouvais plus appeler que Simon au téléphone. Thomas avait disparu. Et j'avais touché son corps glacé. Où précisément cela fait-il mal ? Parfois, ce qui semble évident est tellement caché que l'on ne peut s'en sortir seul, il est nécessaire de réaliser puis d'admettre qu'il nous faut de l'aide. Moi, je ne savais pas. Je n'avais jamais pu exprimer ce que la mort de mon frère avait provoqué en moi. Par pudeur, mais aussi parce que je n'en avais pas la moindre idée. Et ce silence a fini par se retourner contre moi. *Il faut écouter ce qui provoque cette colère.*

Une colère destructrice, puissante. Un chien acculé au fond d'un piège. C'est l'image que je lui ai donnée, celle d'un chien, d'une bête sauvage.

— Vraiment, si je laisse aller, je risque de tout casser.

— Ne vous inquiétez pas...

Je suis dans le cabinet d'un psychiatre. Il ne me serait jamais venu à l'esprit de consulter un psychiatre. Pourquoi ? Parce que je fais face, pas besoin qu'on m'aide et surtout pas un psy !

Notre rencontre doit tout au hasard : un producteur m'a contacté pour travailler sur la mise en images d'une série d'entretiens avec des personnalités diverses. L'une d'elles est le psychiatre David Servan-Schreiber. Je me rends donc à un rendez-vous avec l'auteur de *Guérir*[1] en compagnie des créateurs de cette série qui doit être proposée à différentes chaînes de télévision ; je suis présent en tant que réalisateur.

Pourquoi le sujet est-il abordé durant notre séance de travail ? Pas la moindre idée, mais bientôt je raconte mon engagement de reporter de guerre, mon parcours professionnel, et la mort de Thomas. David Servan-Schreiber, qui vient alors d'introduire en France une nouvelle technique de prise en charge des traumatismes, me questionne sur la façon dont j'ai traversé l'expérience. Je donne quelques détails, n'ayant d'ordinaire pas de difficultés à évoquer cela. C'est un homme qui ne semble guère plus âgé que moi, un visage qui rassure, un peu rectangulaire, harmonieux en tout

---

1. David Servan-Schreiber, *Guérir le stress, l'anxiété et la dépression sans médicaments ni psychanalyse*, Robert Laffont, 2003.

cas, le regard est interrogatif mais gentil, attentionné, ce qui lui donne presque un air tourmenté, et j'aime la façon dont il parle. À la fin de notre entretien, il me propose de nous voir.

— Je n'ai pas le temps de prendre beaucoup de patients en France, mais si vous souhaitez essayer, je suis d'accord pour le faire avec vous.

Je suis séduit par son approche simple et dynamique, j'aime notre premier contact. J'ai devant moi un homme vivant, sincère et vrai – c'est important, une belle rencontre. Et elle ouvre une sacrée porte car la blessure est là, tapie en moi, or depuis la mort de Thomas, mon rôle est d'être celui qui tient le coup, comment pourrais-je demander de l'aide ? *Il faut écouter ce qui provoque cette colère.* Notre rencontre me donne enfin l'occasion de ce regard sur moi. Renseignements pris, je découvre que la technique qu'il me propose d'utiliser, baptisée EMDR par sa fondatrice Francine Shapiro, a fait l'objet d'un nombre record d'études cliniques contrôlées, précisément pour son impact sur les syndromes de stress post-traumatiques. EMDR pour *Eye Movement Desensitization & Reprocessing* (c'est-à-dire « désensibilisation et retraitement par les mouvements oculaires[1] ») se propose de résoudre les traumatismes émotionnels. Oui, il faut apaiser ce volcan, cette fureur sauvage qui répand de la douleur dans mon corps. Une émotion apeurée se cache et je comprends que c'est sans doute cela qui affecte mon compor-

---

1. Francine Shapiro, *Des yeux pour guérir*, Le Seuil, « Couleur Psy », 2005.

tement, mes rapports avec mes proches, qui alimente cette incompréhensible colère.

Avant notre première séance, David me demande de lister les événements douloureux de ma vie en essayant de les ordonner. Les souvenirs très douloureux, les souvenirs de moments particulièrement désagréables, les souvenirs de peur intense (je vais mourir !) et les éventuels sentiments récurrents de gêne. Enfin, je dois réfléchir à ce qui constituerait pour moi un succès dans cette thérapie, et quels résultats j'en attends. Je remplis ma feuille blanche. Thomas n'est pas seul sur cette liste de morts et de peurs. Mais il est ce qu'il y a eu de pire. Et je me surprends à écrire en bas de page : « J'ai parfois le sentiment que la vie ne m'a rien appris, comme si je ne me servais pas de toute la richesse de l'expérience acquise. Comme si le bénéfice de ces années, de ces multiples rencontres ne m'était d'aucune utilité. »

Lors de la première séance, le chat de David tourne autour de nous alors que nous parlons de ce que j'ai inscrit sur ma liste ; lors de la suivante, le chat préfère nous laisser un moment et nous commençons à travailler sans que j'observe de résultat flagrant, puis vient la troisième séance. Je suis assis confortablement, David est installé sur une chaise, près de moi. Je dois laisser resurgir le souvenir de la mort de Thomas, telle que je l'ai vécue le 12 avril 2001. Je visualise bientôt la scène, les détails, puis je me laisse emporter et quelque chose de très incompréhensible se produit.

En sortant, je griffonne ce bref compte rendu : « Impression d'avoir retrouvé Thomas. De m'être glissé dans sa peau. D'avoir été en lui, mort, j'ai vu la peur de ma propre mort. Puis je lui ai dit au revoir aussi. Au commencement, j'ai ressenti un chien en moi, une fureur sauvage et violente. J'étais le chien, je sentais la puissance dans mon torse, une puissance ne demandant qu'à partir, qu'à sortir. J'ai eu peur d'exploser et de ne plus me contrôler. Puis le chien – moi – lapait le sang à l'endroit où est mort Thomas.

« Dans un tourbillon, Thomas et moi sommes devenus un, puis nous nous sommes élevés dans le ciel. Je survolais tout, j'englobais tout. Puis je suis redescendu et me suis glissé dans le corps mort de Thomas. J'étais vivant, mort à sa place. Lui était là aussi, en moi, nos deux corps superposés, emboîtés.

« Plus tard, j'étais à nouveau dans son corps sur la table à Islamabad. Corps froid et rigide. J'étais le corps et j'étais aussi moi-même, debout à droite, en train de m'occuper du corps. Je n'avais pas de tête. Puis j'ai serré Thomas dans mes bras et l'on s'est dit au revoir.

« Il était différent. Plus mature, un autre Thomas mais plus vraiment lui, avec des cheveux. Ensuite, je suis à nouveau sur le lieu de sa mort et l'on se mélange une nouvelle fois. Nous sommes tous les deux en plein jour mais dans une sorte de bulle noire. Comme entourés de noir. La scène était dans la lumière du jour mais l'horizon, le ciel, tout autour de nous était noir. Thomas avait changé à ce stade. Il avait des cheveux et il était différent, plus évolué. »

Quelque chose s'est résolu ce jour-là, durant cette séance, en profondeur. Engagé dans le travail de recherche pour ce livre, j'ai voulu comprendre, décrypter ce qui s'était produit dans ce travail. Alors qu'il était lui-même dans l'écriture de son prochain livre, *Anticancer*[1], j'ai souhaité questionner David sur le processus de la mort. Nous étions à la maison, entourés de quelques amis. À la fin du repas, nous avons évoqué ces séances ensemble, ainsi que le travail d'accompagnement de deuil qu'il lui était arrivé de mettre en pratique. J'ai constaté un mieux durable après notre travail en commun, et cela m'a beaucoup surpris. Dans les mois qui ont suivi, j'étais plus serein, moins irritable, et il me semblait que la bête était apaisée. Cette chose noire dans mon ventre.

— Ce qui m'a beaucoup surpris durant la dernière séance est que je visualisais la scène, en spectateur, de façon neutre comme d'habitude, et puis subitement j'ai littéralement fondu dans le corps de mon frère. Je ne m'attendais pas à ça, je n'aurais pas imaginé ça : me glisser dans son corps. Je suis devenu lui. Ça a été émotionnellement très fort.

Il s'est écoulé près de deux ans depuis ces séances, mais David en garde un souvenir net.

— Ça a été plus loin que ça, tu t'es fondu dans son corps, et à ce moment-là il s'est passé une série de choses. Tu étais dans son corps, tu as senti le corps. Comme si tu étais lui. Il faut être très clair sur le fait que je ne t'ai jamais suggéré quoi que ce soit de cet ordre. Le souvenir que j'ai de la raison pour laquelle tu voulais faire cette séance d'EMDR est que tu ne pensais pas avoir de problème particulier avec cette mort, mais il y avait des

---

1. David Servan-Schreiber, *Anticancer*, Robert Laffont, 2007.

problèmes dans ta vie qui avaient commencé depuis. D'ailleurs tu n'étais pas totalement sûr si c'était depuis ou pas, mais enfin il y avait des problèmes dans ta vie et moi j'avais le sentiment que c'était lié. Je me souviens que tu parlais d'irritabilité, tu te mettais facilement en colère. Est-ce que ça a changé après ?

— Beaucoup. J'ai été très attentif sur ce point. Mais justement, on arrive tout de suite au cœur du sujet : comment fais-tu la liaison entre mon irritabilité et la mort de mon frère ?

— Ça, c'est limpide : les états de stress post-traumatiques sont généralement associés à des troubles de l'irritabilité, de l'hostilité. Il y a fréquemment des accès de tristesse, mais plus spécifiquement les gens sont irritables et facilement hostiles. À un moment de la séance, ton frère t'a dit que ce n'était pas de ta faute, j'ai un souvenir de ça, il t'a laissé aller. Il t'a donné la liberté de continuer sans lui. Mais comment répondre ? Est-ce que ça se passe toujours comme ça ? Non. Tu vois, j'ai fait plein de deuils en EMDR et c'est la seule fois où quelqu'un s'est mis dans le corps de la personne. Donc ça a été une résolution pour toi. Pourquoi pour toi c'est passé par là ? C'est toujours un peu difficile de répondre parce que chaque personne trouve son chemin. C'est ça la particularité de l'EMDR, à la différence de l'hypnose ou d'autres approches : on n'a pas besoin ici d'avoir une idée préconçue et de guider. Pour toi, c'est passé par là, pourquoi ? À partir de ton histoire on peut conjecturer, mais ce n'est pas très intéressant. C'est ce qu'a fait la psychanalyse pendant des années : elle conjecturait puis elle essayait de se servir de ces

conjectures justement pour proposer de[...]
relles aux gens – les fameuses interprét[...]
après ils s'y accrochaient ou ne s'y accr[...]
pas, ça leur servait ou ça ne leur servait pas. Nous,
on évite de proposer des interprétations, on stimule
un mécanisme dont on sait qu'il a un impact sur la
physiologie du corps parce qu'aujourd'hui on a des
études qui nous montrent ce qui se passe quand tu
fais bouger les yeux des gens. On constate que ça
met le corps dans un état physiologique très com-
parable à celui des rêves, ce qui est curieux parce
que l'on est simultanément en état de relaxation
avec une accélération de la respiration. On ne sait
pas très bien à quoi ça correspond. C'est un état qui
doit être très favorable au retraitement de l'information émotionnelle. On se sert de ces états physiologiques pour accompagner des mécanismes
associatifs qui se déclenchent automatiquement,
justement sans avoir à les guider en suggérant des
passerelles ou des interprétations. Une fois que le
travail est fait, on peut imaginer pourquoi, pour
telle personne, le chemin est passé par ici plutôt
que par là. Pourquoi est-ce que pour toi il est passé
par cette identification avec le corps mort de ton
frère ? Probablement parce qu'il y avait une proximité émotionnelle entre vous, ou qu'il y avait eu
une identification entre vous et que dans la mort
cette identification existante durant votre vie a
joué et a servi de passerelle vers la sortie. C'est une
des choses qui est passionnante en EMDR : l'intel-
lectualisation ne sert à rien. Ni avant, ni pendant,
ni après. Ça fait quand même cent ans qu'on fait ça
en psychanalyse : essayer de comprendre ; or, nous,
on voit très clairement que ce n'est pas la compré-

...ension qui est utile, car tout se passe à un niveau beaucoup plus physiologique.

— Qu'est-ce que j'ai vécu en voyant mon frère mourir ? Je ne le sais pas moi-même. J'ai été en réaction tout de suite. C'est-à-dire qu'après le choc initial qui a duré quelques minutes, j'ai réagi très vite. Tout de suite je me suis dit : « Il faut que je m'occupe de ça, de ça, de ça... »

— Au moment d'un événement traumatique, ce qui s'imprime dans le cerveau, ce qui est traumatisant, se trouve en partie déconnecté du reste de la vie psychique, donc de tes connaissances sur le monde, de ta notion de qui tu es, etc. C'est la nature même d'un souvenir traumatique : c'est un souvenir dissocié du reste de la vie psychique. Comme un abcès est dissocié du reste du corps par une fine membrane qui essaye de contenir l'infection. Malheureusement, ce souvenir dissocié continue de vivre en toi comme un abcès qui continue de peser sur la physiologie du corps. Le souvenir dissocié continue de vivre et il se manifeste lorsque tu te retrouves dans une situation qui te fait penser à l'événement traumatique. Tu es alors en proie à des émotions qui sont celles de l'événement traumatique et qui ne sont plus les émotions du présent. Les réactions que tu as eues sont celles qui se sont produites dans ton corps lors de l'événement traumatique, et qui ne sont pas des réactions adaptées au présent. Au moment d'un traumatisme, la physiologie de ton corps et de ton cerveau est dans un état, en général, de terreur et d'impuissance simultanées. Dans ce cas de figure, physiologiquement, tu n'es pas capable d'intégrer un souvenir normalement, comme le souvenir de ce dîner ensemble, qui je l'espère n'est pas traumatique. Dans le cas d'un souvenir non traumatique, tu l'intègres : il vient se tisser à l'intérieur de tous les autres souvenirs de ta journée, de ton existence et il y prend sa place. Il ne vit pas comme un abcès, il vit comme des cellules du corps qui grandissent et qui viennent s'intégrer au reste du tissu. Quand l'événement est vécu avec simultanément terreur et impuissance, c'est-à-dire un état physiologique très particulier, le cerveau n'est pas capable d'intégrer ce nouveau souvenir à l'ensemble des souvenirs existants. Il reste à part. Pendant l'EMDR, ce souvenir dissocié va progressivement se réintégrer à l'ensemble de ta vie psychique. En se réintégrant ainsi, il n'est plus douloureux et ne peut plus prendre le contrôle, tel un parasite, de tes émotions, de tes réactions aux autres, de ton sommeil, d'un tas d'autres aspects.

— Je peux avoir été traumatisé alors que dans les minutes qui ont suivi l'accident, j'ai été opérationnel ?

— C'est exactement ce qui s'est passé : si tu as eu une activité normale, c'est parce que ce traumatisme s'est intégré comme un souvenir dissocié. Il s'agit de deux parties différentes de ton psychisme. Il y en a une qui a subi le traumatisme et l'autre qui a fonctionné. C'est même la manifestation de cette dissociation qui fait que les gens ont l'air normaux et fonctionnent comme s'il n'était rien arrivé de grave, ce qui est totalement anormal d'une certaine façon. C'est adaptatif.

— Je me suis occupé de ce dont je devais m'occuper, j'ai apporté du réconfort...

Ma femme Natacha, présente au moment de l'accident, intervient :

— Tu étais hallucinant. On était tous sonnés et il y en avait un seul qui était sur la Terre, c'était toi.

— Mais je trouve que c'est positif, dis-je.

— C'est positif, reprend David, je ne dis pas l'inverse. Mais c'est quand même dissocié. Pour éviter les traumatismes après une situation très douloureuse, quand tu as eu très peur, il est important d'être entouré et protégé. Accompagné.

— On ne peut pas vivre ce que j'ai vécu seul et l'intégrer seul ?

— Si, mais c'est plus dur.

— Être entouré et protégé, d'accord ! Mais la caractéristique de ce type d'expérience, c'est qu'il est très difficile d'en parler.

— Être entouré ne veut pas dire nécessairement en parler. Je ne dis pas qu'il faut sauter sur les gens qui viennent de vivre quelque chose de difficile pour les faire parler. Ça peut être re-traumatisant. Ça peut être pire. D'ailleurs, souvent les femmes violées disent que le pire moment est de devoir le raconter au commissariat. C'est un deuxième traumatisme, parfois pire que le viol lui-même, parce qu'il y a en plus l'humiliation de raconter devant plusieurs hommes. Parfois, le fait de raconter peut aggraver. Donc il ne s'agit pas de raconter, il ne s'agit pas de mettre en mots. Effectivement, souvent, c'est indicible. Non, je parle de la couverture que l'on te met sur les épaules, de la personne qui met ses bras autour de toi, du café chaud qu'on te propose, du fait que l'on s'occupe de toi et que l'on te protège. Il n'est pas nécessaire du tout de faire raconter. Malheureusement ça ne fait pas très psy et c'est sous-utilisé, alors que c'est de loin une des choses les plus importantes. Devant des gens qui ont un cancer, souvent leurs voisins ne savent pas quoi faire, comment leur parler, du coup il se crée un immense vide autour d'eux, c'est terrible, et la meilleure chose que tu puisses proposer est de leur faire la cuisine. Tu leur dis : « Je suis désolé de ce qui vous est arrivé, est-ce que je peux vous aider ? » et tu leur apportes à dîner. Ce sont vraiment des choses très simples. Les gens ont besoin de sentir le réseau humain qui se resserre.

— Comment soutenir, répondre à la souffrance d'un deuil ?

— Une des idées clés que l'on utilise beaucoup en EMDR pour travailler avec des gens qui ont perdu quelqu'un et qui se torturent, qui souffrent, consiste à leur dire : « Qu'est-ce qui reste en vous de lui ou d'elle, aujourd'hui ? » Alors les gens se connectent avec ce qui est encore vivant, pas dans un sens transcendantal mais dans le sens où les personnes qui ont compté beaucoup dans notre vie, lorsqu'elles sont mortes, continuent de vivre en grande partie par ce qui a été incorporé d'elles en nous. Tu me suis ? Ton frère vit encore à travers la façon dont il a changé ta vie, la tienne ou peut-être celle de ta fille. Il y a quelque chose de très fort qui vit de cette manière. Donc on peut aider les gens à se connecter à ça. Une autre question à poser et qui aide énormément – en EMDR, on ne guide pas mais on pose des questions quand les gens bloquent – est : « De là où il est aujourd'hui, qu'est-ce qu'il souhaiterait le plus pour vous ? » Parce que les gens ont très peur d'arrêter de souffrir. Ils se disent que s'ils cessent de souffrir, ils n'honoreront plus le souvenir de la personne disparue. Quelque part ils s'accrochent à leur souffrance parce que s'ils lâchent leur souffrance, ils imaginent trahir le défunt. Donc quand on leur demande : « Est-ce qu'il souhaiterait que vous souffriez comme vous souffrez aujourd'hui ? », alors les gens répondent : « Oui, c'est vrai, quand j'y pense, il souhaiterait que je continue de vivre ma vie et que je récupère ma capacité de bonheur. » Tu leur dis juste ça et tu reprends le mouvement des yeux, et tu sens que ça vient se tisser à l'intérieur. Que c'est une des voies de sortie.

Récupérer ma capacité de bonheur.

5

Premiers face-à-face avec la mort

Une petite fille rigole dans la rue. Une enfant. Elle a quatre ans, peut-être cinq, et elle sautille, court, revient, tourne autour de sa mère en riant, débordante de joie et d'innocence. Quand va-t-elle commencer à avoir peur ? Pourquoi cette humeur joyeuse et sincère, cette pureté vont-elles tomber dans l'abîme ? Qu'avons-nous raté dans notre monde pour transformer chaque visage d'enfant en masque inquiet ? Qu'avons-nous mal appris ? Et ensuite, cela devrait-il nécessairement s'achever dans un moment de terreur et de néant ? Non, il doit y avoir forcément un détail, quelque chose que nous avons mal compris...

Et si tu n'étais pas un instant défini dans le temps mais une glissade, un processus de transformation, une évolution ? Et si tu étais une opportunité ? La mort m'intrigue depuis tout petit. Est-ce parce qu'elle propose une perspective impensable aux êtres humains : leur anéantissement, la fin prétendue de ce qu'ils ont appris à vénérer depuis leurs premières années d'existence : eux-mêmes ?

En ce qui me concerne, c'est évident, cette curiosité envers la mort m'accompagne depuis toujours, sans doute depuis ma naissance, ces longues heures assez marquantes. Oui, la mort me colle, me surveille, me taquine, m'interpelle, disparaît parfois plusieurs années pour revenir avec brusquerie. Elle a le visage de tous ceux que j'aime, et plus je les aime, plus elle se distingue au fond de leurs yeux.

La mort – vous permettrez que je la tutoie, on se connaît un peu – je vais l'appeler « toi ». Je te regarde en face depuis un bout de temps. Toi, la mort. Toi, ma conclusion, toi, ma menace, toi, mon fantasme, mon espoir, ma fuite, ma lâcheté, mon exutoire. Toi qui te rapproches, toi qui me souffles sur le visage avec insolence. Tu prends la couleur poisseuse du sang sur mes mains. Tu es la froideur d'un corps allongé sur une table de métal, un filet d'eau glacé qui s'écoule. Tu es un ventre gelé, des entrailles immobiles. Tu me fascines. Depuis l'enfance.

Envie de comprendre. Pour être honnête, le besoin de savoir s'il y a quelque chose après était très secondaire au début, parce qu'au début j'étais un enfant et que les enfants sont immortels. Oui, vraiment, la chose très curieuse et très incompréhensible est que l'on puisse être vivant, et la seconde d'après que l'on puisse ne plus l'être. Ce point-là n'a absolument aucun sens.

Nous habitons rue Gay-Lussac à Paris, au cinquième étage d'un immeuble donnant sur le jardin du Luxembourg. Je dois avoir moins de huit ans lorsque le voisin du dessous meurt. La nouvelle éveille immédiatement mon intérêt. Il est mort ! Ça ressemble à quoi ? On peut le voir ? J'y tiens tant que ma mère descend demander si je peux me recueillir devant le corps. En fait, moi, je veux juste le voir. *Te voir*.

Je me souviens du pas étroit de leur porte, elle s'ouvre sur un vestibule sombre et là, des ombres, pas de visages, et je suis soudain devant ce lit, dans une pièce aux volets tirés et tu es là. Tu recouvres cet homme immobile – mon premier mort. Je reste planté devant toi, ne sachant que faire. Je te contemple. Je n'ai pas peur. Tu es l'absence, une aspiration, un manque physique, un reflet. Rien. C'est très curieux. Le visage que tu as vidé est transparent, albâtre. L'homme est immobile et solennel, allongé les mains jointes, dans un beau costume foncé. Je reste planté là un certain temps puis ma mère remercie et nous remontons au cinquième.

À l'époque, je suis un garçon joyeux, heureux de vivre, enthousiaste. Ce n'est pas une curiosité morbide qui m'a attiré devant ce corps, non, c'est seulement cette question : *qui es-tu ?* Avec le temps qui a passé depuis, je saisis plus nettement mon envie d'enfant, c'est une nécessité qui me conduit devant la dépouille du voisin du dessous, un besoin pour grandir. Le désir d'un enfant qui veut, qui doit voir de ses yeux, sentir avec son cœur cette chose étrange et incongrue, *toi, la mort*.

Ensuite, tu t'absentes longtemps. Je grandis sans plus te rencontrer jusqu'à l'adolescence sans que tu me manques. Vingt ans plus tard, tu te présentes à nouveau lorsque Lise, la mère de mon père, s'approche de toi. Nous avons une belle relation avec ma grand-mère, un amour serein et bon enfant.

Elle habite dans un petit appartement en face et tous les mardis nous déjeunons ensemble. Elle me prépare une purée au bain-marie. J'adore ces immuables déjeuners du mardi. Déjà, je la questionne sur la guerre. *Déjà*. Les Parisiens avaient mangé l'éléphant du zoo de Vincennes, ça c'était en 1917, une bombe était tombée sur une église au milieu de l'homélie, là c'étaient les Alliés... ou plutôt la Grande Guerre – elle mélangeait parfois les deux guerres – un homme court dans la rue Gay-Lussac, poursuivi par des soldats allemands, il s'engouffre dans une porte, réapparaît bientôt sur les toits et leur échappe, ça c'est en 1944 ! Mes déjeuners du mardi sont pleins de mémoires extraordinaires, d'émotions, de souvenirs. Tout ce que les yeux de Lise ont regardé dans le siècle. Et puis un jour, Lise est plus près de la mort que d'ordinaire. Bientôt elle quitte le petit studio d'en face. Partir de chez soi définitivement ! Sait-elle qu'elle n'y reviendra jamais ? Ses objets, ses carnets, sa vie entière derrière une porte que l'on referme, une petite valise à la main. Un tour de clé. Tu es là, c'est toi qui fermes la porte. C'est ça la mort : d'abord un changement.

Hospitalisée, nous allons la voir régulièrement. Quand je veux la photographier, mon père ne s'y oppose pas. Nous nous rendons ensemble à la clinique, un matin gris. Et déjà le regard est vagabond, lointain, inaccessible. Maintenant elle est dans ce lit. Au début elle rigole un peu, fatiguée, amusée par mon manège mais conservant envers moi cette prévenance si aimable malgré la fatigue qui gagne. Lise n'a eu qu'un fils, qu'elle adore tellement, mon père. Elle nous adore tous. Si gentiment. Puis son regard se voile. Je lui enlève ses lunettes pour me rapprocher encore de ses yeux, les fixer sur ma pellicule noir et blanc, mais déjà ses pupilles ne contemplent plus notre monde, elle ne réagit plus. Je photographie ses yeux. Je veux te voir dedans ! Tu es là, à portée de regard, je veux te voir.

Lise meurt quelque temps après cette visite. Au funérarium, je reste un moment seul avec sa dépouille dans une grande émotion mais sans douleur extrême. Me tenant debout derrière le cercueil ouvert, j'avance la main sur son front, il est tout froid, quelle surprise, froid et rigide. Alors je veux bouger sa tête mais elle fait bloc avec le corps, un ensemble sans plus aucune souplesse, une carcasse d'un seul tenant, maquillée, mais je ne m'y trompe pas. Tu es passée. Elle n'y est plus, dans ce corps mort.

C'est l'absence de ma grand-mère qui me frappe alors. C'est à cet instant qu'il m'apparaît subitement que le mot « dépouille » peut avoir une autre signification. Ce n'est plus ma grand-mère que je regarde, que je touche, allongée dans ce cercueil, mais sa dépouille. C'est froid, c'est un masque, ce n'est pas une personne mais une apparence, une forme, quelques milliards de cellules organiques redevenues incohérentes, incontrôlées, libres à nouveau de participer à autre chose. Ses cheveux gris, longs et épais s'étalent de chaque côté de ses épaules. Quelle immense chevelure ! Elle l'a gardée corsetée toute sa vie dans un chignon convenable et maintenant elle jaillit avec liberté. Mais où est la peine ? Curieux, ça ! Je suis pourtant loin d'être insensible, mais c'est comme si tu étais, oui...

acceptable. Une mort acceptable. Parce qu'elle était âgée ? Que son départ s'inscrit dans l'ordre des choses ? Ou plus justement parce que je ne parviens pas à reconnaître ma grand-mère, là devant moi ? Tu es passée, mais la joie, la fraîcheur de ma jolie petite grand-mère, où les as-tu emmenées ?

Ensuite, mes questionnements prennent un tour plus ténébreux, alors il y a la guerre. Par choix. Tout seul. Mes amis sont restés et je ne suis jamais vraiment revenu. Lorsque je quitte ma famille sans leur dire que je compte rejoindre les résistants dans l'Afghanistan occupé par l'Armée rouge, seul l'instant de la mort me fascine, parce que je suis toujours immortel à dix-neuf ans, à mon départ. Envie de guerre, terriblement. Dans le maquis afghan mes fantasmes se fracassent sur des hommes réels.

Je me souviens de cette crête où je viens attendre le soleil dans les brumes froides. Au loin, derrière les montagnes, le soleil se prépare. Il a déjà lancé ses éclaireurs : une pâle lueur qui annonce l'aube. À l'opposé, plus loin encore vers l'ouest, la nuit nous fait ses adieux et les étoiles les plus ardentes achèvent de disparaître dans la lumière. Chaque matin, assis sur une souche, recroquevillé dans une couverture, je savoure la première cigarette de la journée. Onguent de chaleur dans une gorge endormie, pâteuse. Autour de moi quelques sapins explosés, une terre pauvre, sèche et froide. Lorsque le soleil apparaît enfin, je me lève et tends le cou à la rencontre du premier rayon qui vient de franchir les neiges éternelles, là-bas.

Et j'oublie le froid, la nuit trop courte.

Je mesure l'énergie qui se répand dans mon corps. Je me sens mal, impression d'avoir été arraché à un rêve important. Était-il agréable ? Était-ce un cauchemar ? Pas moyen de m'en souvenir, désagréable sensation de revenir dans un espace pesant. Un état qui me cueille au réveil, insatisfait, gauche. L'intuition opaque que ce n'est pas dans la réalité que je reviens en ouvrant les yeux, mais que c'est précisément ce que je viens à peine de quitter. Je me sens mal.

Depuis les abris, de jeunes combattants s'extirpent péniblement d'amas de couvertures sentant mauvais et remplis de puces. L'un d'eux passe devant moi, les yeux gonflés de sommeil, il se jette un peu d'eau glacée sur le visage, prend une gorgée dans la bouche et s'astique les dents à l'aide de son doigt. Il lustre sa maigre barbe, puis, accroupi, verse le reste du broc sur ses bras et ses pieds nus. Il s'essuie avec son keffieh, le déplie au sol, baisse ses manches, ajuste les plis de sa longue chemise et ramène les mains à la hauteur de ses oreilles. Pouces contre les lobes, paumes vers l'extérieur. Le reste de la troupe de résistants entoure le jeune commandant. D'une voix aigrelette, il entame la première prière de la journée.

Autour de nous, une guerre atroce se drape d'une tunique irréelle de victoire et de gloire. La veille au soir, tard, de toute la plaine une longue et unique clameur d'acier a déchiré le ciel trop plein d'étoiles. De tous les postes de combat, de longues volées de balles traçantes sont parties vers les ténèbres. Saignées métalliques plus fortes que la gravité. Défoulement. Les hommes viennent d'apprendre que l'ennemi a abandonné ses positions.

Des années d'affrontements, des années de tranchées, de mort, de douleur, d'horreur, d'honneur et, un matin, il n'y a plus d'ennemi. Ne restent devant nous que des fortins épars et vides. La route est ouverte, la victoire visible, cela sent tellement l'espoir. La débandade de l'ennemi : des hommes en tout point identiques à ceux qui se battent de mon côté, comme je le découvrirai bien plus tard. La victoire ! Elle est palpable dans les yeux, les mains, les mouvements de tête pleins d'assurance de tous les combattants présents. Seul le paysage immuable alentour dissipe finalement sa réalité.

Je remonte vers les tranchées situées en retrait des postes de guet qui surplombent la plaine et où sont installées les positions d'artillerie de notre groupe : un tube de mortier et un petit lance-roquettes multiple. Très loin, il y a une volée cassante de détonations, puis deux coups plus sourds et étouffés. Personne dans la tranchée n'y prête attention. Tous attendent l'ordre de marche. Au sol, j'aperçois ce petit éclat d'obus. Je le regarde sans comprendre. Je le ramasse et le tiens dans ma main : quelques centimètres carrés de métal déchiqueté et terrifiant. Je le caresse, le porte à mes lèvres, goûte le froid stérile et un peu épicé du shrapnel. Puis je le regarde à nouveau et le jette au loin. Ne pas rapporter ça.

Il est la peur.

Je l'ai trouvée, et je vais vivre avec elle des mois durant. Ce petit rectangle de métal a réveillé la terreur. « La mort n'existe pas, seule la peur de la mort existe, et c'est une peur atroce », dit Alexandre à son jeune fils. Moi, je suis aussi sur une terre étrangère, en guerre, entouré de menaces auxquelles je ne suis pas préparé. Pourtant j'ai tout fait pour être là, et j'en suis heureux et fier, même si c'est très dur. Chaque avion qui passe au-dessus de nos têtes peut signifier qu'un bombardement suivra. La mort. Chaque avion, chaque innocent bruit d'avion déclenche une réaction physique et me tord les entrailles. La mort qui recouvre tout un peuple. Et je comprends vite que je crains plus de mourir que la mort elle-même.

Oui, Alexandre a raison : la mort est très abstraite et pourrait très bien ne pas exister ; en revanche, mourir est une réalité de chaque seconde. Après tout, me dis-je, si je suis mort, c'est une autre histoire et l'on verra alors ce qu'il en est, mais la manière dont cela peut se produire, voilà qui est paniquant. Ma crainte vient de ce qui précède la mort : la souffrance. Je suis effrayé à l'idée d'être blessé, de souffrir, que ma chair soit taillée en pièces, traversée par des morceaux de métal aux bords tranchants. Caché dans une grotte, allongé dans un fossé, traversant une plaine, n'importe où, pendant des mois je vis dans mon corps, dans mes cellules, cette peur atroce.

Mille et mille fois j'imagine la bombe qui touche le sol à quelques mètres de moi : à peine le temps de se contracter, de rentrer la tête dans les épaules en s'aplatissant au sol, que la terre vole en éclats. Une explosion foudroyante, du métal épais, déchiré en une fraction de seconde, la poussière, les pierres qui giclent à une vitesse inouïe… Je suis propulsé à plusieurs mètres. Violent coup dans les reins, mauvaise réception. Douleur stridente. Je fais des mouvements de bras dans le vide, battant la poussière comme un nouveau-né. De la terre pénètre mon nez, ma bouche, je suffoque, vacillant, je trébuche dans les débris et réussis finalement à me laisser tomber à l'abri. Les oreilles bourdonnantes et la tête dans un étau, je reprends lentement conscience de ce qui vient de se passer. L'atmosphère est saturée. Mes narines me brûlent. Bouche grande ouverte, je respire tel un poisson posé sur une ardoise…

Je secoue la tête, regarde les hommes indifférents qui somnolent autour de moi ; le ronronnement de l'avion s'estompe, il ne s'est rien passé. Il ne se passe rien, il ne se passe jamais rien, ou alors c'est rare et indicible. Des centaines de bombardements imaginaires pour une poignée de réels. Et ces rares fois où quelque chose se produit vraiment, c'est trop soudain, trop rapide, trop inattendu, trop violent. Alors les mots comme les pensées n'ont plus d'importance face au vacarme, et l'on ne réalise qu'après ce à quoi on vient d'échapper.

Je suis assis, les jambes pliées devant un paysage monotone, des montagnes, de la poussière ; tout n'est que ravage et destruction. Décennies de gâchis. Une lame de vent frais s'engouffre contre mes os et caresse mon visage. Je ne devrais pas être là, ce n'est pas ma terre, je suis un gamin, je suis loin de chez moi. Mes rêves sont alors les seuls moments qui me raccrochent à la vie et, au matin, le choc est violent lorsque j'ouvre les yeux. Putain, c'est ici la réalité ? J'ai faim, je suis blessé, j'en ai marre. *Et toi tu es là, partout*. Tes yeux sont ouverts et la terre s'y est engouffrée. Deux fentes blanchâtres, mates, sans humidité. Deux yeux qu'une seule volute de fumée de cigarette, hier encore, faisait pleurer.

Le problème avec toi, c'est que comme tu fais peur, affreusement peur, on ne pense jamais à toi, on n'en a pas envie. Moi, c'est l'inverse, je veux comprendre. Tu nourris d'étranges mémoires. Cela n'est pas anodin. Tu es là, majestueuse, rêvée, au milieu d'un pays de chair morte. Je suis devenu reporter de guerre pour te voir, toi que nulle tombe n'attend sur cette terre, toi qui refuses d'éteindre la soif de combat, de guerre, de sang, tu sembles régner à jamais sur la surface du monde. Les hommes regarderont leurs frères disparaître sous les pelletées de gravillons. Aiment-ils cela ? Mon attirance pour la mort alterne sans cesse entre lyrisme et schizophrénie. Je suis un spectateur abasourdi qui veut comprendre comment les hommes font de telles choses. Ils meurent et se tuent, et la véritable question n'est-elle pas : comment font-ils pour vivre ? En quittant l'enfance, je me suis enfoncé dans ce monde, je ne suis pas né sur Terre, j'y ai été jeté, amalgamé, plongé dans la matière, dans l'organique, dans ce qu'il y a de plus dense, de plus poisseux. Dans la lutte et la peur jusqu'aux épaules.

Parcourir le monde m'a appris que des enfants sont frappés sans raison, je vois leurs larmes, leurs regards m'obsèdent. Je sais que des femmes meurent pour rien, c'est inacceptable et cela se reproduit sans cesse, rien n'y fait. Je sais que de jeunes garçons par millions tuent sans comprendre et cela dure depuis toujours. Pourquoi ?

« On amena deux autres condamnés ; et ces deux regardaient tout le monde avec les mêmes yeux, suppliant silencieusement en vain qu'on les secourût, et ne comprenant manifestement pas ce qui allait se passer et ne pouvant y croire. Ils ne pouvaient y croire parce qu'ils étaient seuls à savoir ce que signifiait pour eux leur vie, et parce qu'ils ne comprenaient pas et n'admettaient pas qu'on pût la leur enlever. Pierre se détourna de nouveau pour ne pas voir, et une explosion formidable frappa de nouveau ses oreilles, et il vit au même moment de la fumée, du sang, et les visages pâles et effrayés des Français qui, les mains tremblantes, s'affairaient de nouveau près du poteau en se bousculant. Pierre regardait autour de lui, respirant avec peine comme s'il se demandait : que se passe-t-il donc ? La même question se lisait dans tous les regards que croisait Pierre. Sur les visages des Russes, des Français, soldats et officiers, sur tous sans exception, il lisait le même effroi, la même horreur et le même combat intérieur. "Mais qui donc finalement fait cela ? Ils souffrent comme moi ! Qui donc ? Qui ?" La question jaillit en lui comme l'éclair[1]. »

Mais qui donc fait cela ?

Cette question me hante. Les hommes ne rêvent-ils que de se déchirer les uns les autres ? Ils semblent même y être poussés contre leur volonté. Mais aucune bête ne fait cela. Et si la question éveille en moi une telle soif de réponse, c'est que je m'y trouve mêlé, à cette humanité folle de rage. Le

---

1. Léon Tolstoï, *La Guerre et la Paix*, tome 2, Gallimard, 1960, livre IV, 1re partie, p. 580.

fort, le soldat, le muscle, la sueur et le choc des corps qui se saisissent, l'absence d'appréhension que certains hommes au combat montrent face à la mort, la capacité incroyable de résistance d'autres, une peau mate et tendue, une charpente ferme, une épaule puissante, tout cela me réveille, me rappelle furieusement quelque chose, fait éclore en moi amertume et jalousie. Je retourne inlassablement sur les lignes de front pour cette idée irréelle nourrie de mon imaginaire. Est-ce un héritage ? Si la question me taraude, je dois admettre éprouver une admiration inconsciente et inavouable, aussi, pour la guerre. Une partie obscure de moi-même s'exprime, là. Mais alors je me sens seul dans un monde vide. Emporté hors du temps, il m'est arrivé d'errer prudemment aux frontières de la folie.

Et puis il se passe quelque chose, dix ans plus tard : sur une position tenue par l'armée indienne, très haut dans le Cachemire, alors que « le Dieu de la guerre » (nom donné par les forces indiennes à leur artillerie) lance une pluie d'obus de 105 sur les positions pakistanaises, et même quelques monstrueux 155 tirés par des obusiers de campagne suédois Bofors flambant neufs, un tir, un seul tir de réponse s'écrase très loin de moi, une petite volute de terre qui s'envole dans le vent, un bruit étouffé qui me parvient avec retard, et je comprends que je peux mourir. Soudain, je ne suis plus immortel. Mais il va se passer bien des choses avant cela. Pour le moment, je suis seul, à peine sorti de l'adolescence, mes parents me croient au Pakistan voisin en train de faire un reportage dans les camps de réfugiés afghans. Moi je suis sur la terre de la guerre. J'ai plongé pour une vie.

Mon regard s'aventure à nouveau sur le paysage : des montagnes noires partent dans les nuages. Dans la vallée, des bandes de verdure forment sur les contours des rivières des scarifications ordonnées. Des villages pas bien grands s'éparpillent en soleil, à l'image du dessin qu'imprime une roquette en explosant sur un mur de ciment.

6

Une présence impalpable

Quelques semaines avant mon vingtième anniversaire, de retour à Paris après cet intense premier reportage de guerre, je ne suis plus qu'un squelette aux yeux éteints. Alors que l'été éclate sur la capitale, que les jeunes filles sont belles, fraîches et peu vêtues, je redécouvre avec difficulté un monde sans violence.

Ici, en apparence, la guerre est lointaine et abstraite. Le souvenir de ce que les hommes firent au cœur de l'Europe alors que mon père n'avait pas vingt ans s'évapore dans des réécritures naïves. Chez nous la mort semble apprivoisée, contenue, propre. Les corps de ceux que l'on enterre – lorsqu'on accepte de les voir parce qu'on a confié à d'autres le soin de s'en occuper – sont blancs, lisses et poudrés, pas d'odeur de merde, de sang qui colle sous les ongles ou dans les plis des phalanges, pas de masse informe, pas de chair déchirée, d'os broyés. Ils sont propres, maquillés et coiffés. La mort est sans violence, alors les hommes l'ignorent,

55

oublient. Certains vont même jusqu'à croire que ça n'arrive qu'aux autres ».

C'est dans ce monde tranquille qu'un beau jour, un autre membre de ma famille s'efface : ma tante, une femme érudite et râleuse et célibataire, enseignant le français dans la banlieue de Londres, à Reading. Je lui avais écrit une lettre, ce que je faisais rarement – jamais d'ailleurs ! Mais un jour, subitement, j'avais éprouvé le besoin de lui dire que je l'admirais, que je l'aimais. Quelques semaines après, nous apprenons qu'elle est mourante. Elle n'a pas voulu nous embarrasser avec « ça » : un cancer d'un peu tout entre la tête et le ventre, en phase terminale. Tante Georgette, la tête, la réflexion, le savoir et l'intransigeance. La solitude aussi. Je prends un vol pour Londres, pour une dernière fois lui toucher la main, voir son visage, son regard. Je passe le week-end auprès d'elle. Après le décès de Lise, elle est devenue ma nouvelle grand-mère. J'ai devant moi maintenant une petite carcasse de vieille femme arrachée au passé. Elle m'a suivi jusqu'à aujourd'hui alors que des pans entiers de mon passé et avec eux des dizaines de personnes ont disparu de ma mémoire. Quelque chose en moi a été impitoyable et tout s'est évanoui comme une ancienne vie dont on hérite mais dont on ne sait rien.

À regarder ce corps tordu au fond d'un lit trop grand, je pense que ça a l'air épuisant de mourir. Voilà presque trois semaines qu'elle ne mange et ne fume plus. Dimanche matin, je mets mon visage tout près du sien, mon regard dans ses yeux, sa main se porte alors sur ma joue tandis que la mienne caresse ses cheveux blancs. C'est notre adieu. Maladie, souffrance, épuisement, et elle conserve toute sa conscience. À cet instant elle s'exprime encore, la plupart du temps d'un simple mot pour dire l'essentiel : « Douleur ! », pointant le doigt sur son ventre. Plus tard, dépassée par tant de paroles autour d'elle, elle a la force de sommer les infirmières de se taire : « Dire... nurses... faire ce qu'elles ont à faire... pas parler... Silence... total... silence... total... ! », d'un ton qui à son habitude n'autorise aucune remarque.

— C'est long... c'est long..., ajoute-t-elle.

Quand je reviens dans l'après-midi, elle n'est plus là, et pas encore partie. Son visage a un peu plus cette teinte blanchâtre. Un mince filet jaune coule sur sa joue depuis la commissure des lèvres jusque sur les draps et l'oreiller. Sa respiration est très faible avec de longues pauses pendant lesquelles nous guettons un tremblement, quelque chose qui nous laisserait penser que ça y est. Et ça n'y est pas, elle inspire à nouveau, si faiblement. Pendant une demi-heure je lui tiens la main, sans force, regardant son visage, la croyant partir mais elle ne partant pas. Le soir elle vit encore, sans avoir repris connaissance.

— Pas regarder, pas parler.

Au moment de quitter la pièce, je pose ma main sur son front, il est humide de transpiration. Un baiser, une caresse, quelques mots, avec le souvenir de son sourire difficile et de ses mercis du matin. Je me rappelle que ma dernière lettre lui a fait du bien. Puis elle est morte. Dans les dernières minutes du premier jour de printemps, au cœur de la nuit, toute seule au fond de sa chambre, sans déranger personne, son cœur a finalement arrêté de battre. Alors éclate en moi la certitude qu'une autre aventure commence pour elle, loin des souffrances du corps, loin de sa maladie, de la solitude, loin de la vie des hommes. C'est pour moi une expérience très forte.

Les infirmières lavent son corps. Vision de ces mains expertes soulevant un être bien léger, sa tête lourde partant en arrière, seulement retenue par un cou trop fin, comme celui d'un petit oisillon mort. Exactement comme celui d'un petit oisillon mort.

Je t'ai vue, cette fois-ci, dans l'hôpital de Reading ! Je t'ai vue, pour la première fois de ma vie. Tu étais là et je t'ai vue ! Ça s'est produit dans un temps assez irréel. Tu étais là, palpable devant moi, à quelques centimètres. Alors que mes yeux étaient plongés dans ceux de ma nouvelle grand-mère, j'ai senti son âme emplir toute la pièce (je vais l'appeler comme ça pour l'instant). Quelque chose de bien plus grand et volumineux que ce petit corps rongé habitait la chambre, vibrait autour de nous. Et moi, d'une manière ou d'une autre, j'étais imbriqué dans cette âme. Nous formions alors quelque chose d'unique, ma nouvelle grand-mère et moi, deux âmes mélangées, comme un seul être. Aussi son départ tout proche a-t-il eu une réalité puissante.

Je t'ai vue, les yeux dans les yeux, à travers notre sang, nos cœurs, les mémoires de notre famille, lorsque ma grand-mère plongeait son regard dans le mien comme seule peut le faire une personne qui se meurt. Oh, quelle vérité! Quel amour! Quelle simplicité! Nous savions à cet instant que nous ne nous reverrions plus jamais et il n'y avait pas de révolte, mais une sereine acceptation, une attente. À cet instant nous n'aurions pu être plus proches et pourtant c'est elle qui partait mourir, qui en était consciente et soulagée, et moi qui restais. Être devant la frontière, le passage. Te voir, toi!

Soudain s'est imposée la certitude qu'alors rien ne s'arrête. *Tu n'existes pas*, alors pourquoi je crois encore en toi? Pourquoi j'ai encore peur? Je l'enviais d'être au commencement d'une autre vie. Elle m'emmenait à ce moment d'éternité, hors du temps, là où tu fais croire à tout le monde que tu existes. Tu es un moment volé aux esprits. J'étais sur la frontière avec toi. Je te voyais. Et j'ai dû oublier.

— Après moi..., a dit ma tante Georgette.

Nous y voilà, « après moi... » mais ce « moi », il est où? Petit oiseau de femme volatile et solitaire, elle est partie toute seule dans la première nuit du printemps. Le corps a été brûlé le jeudi suivant. Charpente humaine qui disparaît dans les flammes. Une enveloppe froide et rigide glissée au fond de la fournaise. Le feu qui consume la chair en quelques secondes, fait éclater les os. Bientôt il n'est resté de son passage sur terre qu'un petit tas de cendre que nous avons dispersé dans le vent au pied des arbres qui bordaient l'horizon. Disparition.

— Silence... total... Je suis venue, je suis partie. Mais alors, si tu n'existes pas, de quoi a-t-on tous peur ? De vivre. De vivre ? Serait-ce vivre qui effraie ?

7

Refuge

Je retourne vers la guerre, encore et encore. Je savoure cette peur qu'elle distille en moi, l'adrénaline qui fait éclater le cerveau. Mais en même temps, il faut le dire, j'aime aussi cette terre d'Asie centrale pour ce qu'elle offre de paix et de rencontres. Il y a les guerriers et aussi d'autres mémoires. La peur, mais également un enseignement très ancien. Un souvenir qui se manifeste çà et là, avec stupeur. Les années passent et la crainte remplace progressivement l'insouciance. Je comprends de moins en moins ce que je fais là, sous le feu ennemi, moi qui n'en ai pas.

Jusqu'à ce que la vie passe par moi : je deviens père. Un jour ma fille naît. Cet être qui me reconnaît et qui instantanément change ma vie à jamais. Elle a le visage de l'amour éternel et absolu, indiscutable. Plus aucun doute alors. Pourtant je te cours encore derrière. Qu'est-ce qui me manque ? Ma fille, ma vie, pleine, totale et évidente, et il me faut encore fuir, partir dans les montagnes, sur les pistes minées, sous les tirs, dans ces lieux où seuls mes rêves offrent de vrais refuges, tant le réel n'est que peur. Je vais bientôt comprendre.

Le parage est familier. Le sol est revêtu de pavés que je ne sens pas sous mes pas. Est-ce un pont ? Une route de village ? L'architecture du lieu comme la perspective manquent de densité. Seul mon corps semble avoir un poids. Un corps un peu secondaire, comme si j'en connaissais la vraie nature. Je vois, touche et respire, mais c'est une partie différente de moi-même qui ordonne toutes ces activités. Mes mouvements, mes prises de décision, tout est plus fluide, harmonieux, dépassionné. En somme, je ne pense pas à ce que je dois faire : aller par là ou par ici. Je fais, j'agis dans l'instant et, par automatisme, je suis juste. Dès que je crois devoir réfléchir à telle ou telle information que m'apporte un de mes sens, je perds une fraction de seconde le bénéfice de ma prescience intérieure. Il y a une sorte de porche là-bas, une entrée qui donne sur quelque chose de connu. Mais quoi ? Dois-je ou non y aller ? À peine posées, ces questions se dissolvent comme si je ne les avais jamais formulées. Je marche dans une direction, reviens sur mes pas. Le temps même est différent. Élastique, mobile. Chaque seconde possède sa durée propre en fonction de ce qu'il advient d'essentiel alors qu'elle s'écoule. Se déplacer est instantané.

Lorsque soudain je l'aperçois, le temps se fige, s'arrête, n'existe plus. Une femme est apparue subitement devant moi, je ne l'ai pas vue approcher. Nous sommes proches, instantanément. Sa démarche est légère et heureuse. Le mouvement simple des volants de sa robe courte ajoute à la tranquillité du personnage. Elle a les épaules nues, les mollets fins. Elle est prodigieusement belle. C'est son visage qui s'impose en premier. Elle est belle, tellement belle. Des cheveux bruns coupés court à la garçonne, un peu en désordre. La peau de son visage est rose-ambre. Et ses yeux, ses yeux si apaisants tant ils expriment la pureté de son esprit, une infinie douceur. La voilà devant moi, elle passe. Soudain nous nous connaissons. Assez pour que sans autre formalité je lui prenne délicatement la main. Elle se laisse faire, tourne son visage vers moi, souriante, la nuque délicate et troublante. Pas un mot n'est échangé. Mais déjà tout se dit entre nous, dans les gestes, les attentions. J'attire cette main à ma bouche et y dépose un baiser feutré, du bout des lèvres.

— Tu es là.

— Il est doux, ce baiser, me répond-elle en effleurant furtivement ma main à son tour.

Elle baisse légèrement la tête de côté. Je perçois son sourire, son bonheur. Avec tendresse, je ramène mes bras autour d'elle, elle qui se laisse envelopper, protéger. Non que je sente une faiblesse. C'est de moi seul qu'elle attendait cela. Il ne nous vient pas une seule fois à l'esprit de nous demander qui nous sommes, d'où nous venons ou comment nous nous connaissons. Un amour d'une intensité sans pareille existe entre nous et l'on se rencontre enfin.

— Je t'aime, lui dis-je avec certitude.

Elle me regarde. Oh, ce regard, ce sourire! et elle me dit :

— Moi aussi.

Violente douleur dans le corps ! Je fixe cette femme, cet amour absolu, sans comprendre ce qui se passe. Puis elle se désagrège doucement, ainsi que progressivement tout l'univers autour de nous.

Devant moi ce n'est plus qu'un voile d'hallucination. Dans mes veines le sang devient du plomb, des douleurs se réveillent, dans le thorax, sur le visage, dans les os. La nausée apparaît ainsi que le feu dans la poitrine.

J'ouvre un œil.

Abri souterrain, ligne de front. En plein désert. La rancœur, la haine resurgissent. Les muscles de mes épaules, de ma nuque se contractent. Une folie se rallume au fond de mes yeux. Ça y est, je ne me souviens plus d'elle, je suis réveillé. D'où est-ce que je reviens ? Ce rêve qui s'est évaporé, où a-t-il eu lieu ? Il était trop vrai, trop réel, elle existe quelque part. Mais où ?

Je saute dehors, la nuit protège encore les hommes. Les jeunes combattants s'éveillent. Masse fluide de corps brûlants, de vêtements dépenaillés, d'étoffes aux couleurs ternes possédées par la crasse, tenant des armes neuves, impatientes. Et la journée s'ébranle dans un nuage de poussière, vers la guerre, la mort et l'indispensable peur. Je suis englouti dans les ténèbres. Je suis vivant, réveillé, quelque part sur la Terre, et ça n'a aucun sens. J'ai envie de vomir. Il y a encore quelque chose qui ne va pas, et c'est dangereux.

Et nous appelons ce monde la réalité.

8

« Seule la peur de la mort existe »

Après l'accident, pourquoi ai-je cherché mon frère par-delà la mort ? Je m'y préparais depuis l'enfance. Je voudrais aussi que mon père n'ait plus peur. Que ma mère n'ait plus cette douleur qui la terrasse parfois. Je leur ai téléphoné pour leur annoncer que leur fils venait de mourir. À mes parents. À celle qui nous a portés dans son ventre, à celui qui nous a tenus dans ses bras forts…

Au-delà de la peine et de la douleur, la mort peut-elle être autre chose que cet instant terrifiant et redouté ? Pourquoi face à la mort certains réagissent-ils avec violence, d'autres avec désespoir, colère ou effroi ? Pourquoi la mort d'un être cher provoque-t-elle dépression, repli sur soi, traumatisme ? Pourquoi est-elle douloureuse ? Nous sommes tous confrontés à la mort, à celle de nos proches comme à la nôtre. Cela ne devrait pas représenter un sujet tabou. Chargé d'une émotion intense, craint, parfois insoutenable, oui, mais pas tabou. Tous le disent, médecins, accompagnants de fin de vie, parents, enfants à qui cela fut possible : nous avons tant à gagner à parler de ce qui nous effraie, à observer calmement l'inéluctable en prenant notre courage à deux mains. À regarder ce moment crucial de notre vie en face – n'en est-il pas le dénouement ? – nous avons tant à gagner. Pourquoi contre toute raison traversons-nous l'existence comme si nous n'allions jamais mourir ? N'est-ce pas la source de notre souffrance, plus que la mort elle-même ?

Mon jeune frère est mort à trente ans, devant mes yeux. Son décès cristallisa la question de la mort au cœur de ma vie. Tous les autres sujets devinrent futiles. Comment continuer à vivre dans l'insouciance alors que l'on réalise que l'on n'est pas immortel ? Comment continuer à se regarder dans une glace si l'on n'affronte pas cette question avec toute la puissance dont la vie qui se débat en nous est capable ? Avec intuition, cet outil de connaissance si particulier et dont chaque être humain est porteur.

La mort de mon frère rend toute fuite impossible. Je ne peux pas me dérober. Je ne veux pas ! Il faut que je sache. Que j'obtienne des réponses. Qu'est-il arrivé à mon frère Thomas à l'instant de sa mort ? Et que s'est-il réellement passé ce jour-là au fond de moi, lorsque j'en ai été le témoin ? Et dans le cœur de nos proches ? Où est-il aujourd'hui ? Est-il d'ailleurs possible de répondre à cette dernière question ? Avec appréhension, mais également une grande clarté d'esprit, j'ai appris de la mort. Je suis parti de l'horreur et de la colère et j'ai atteint une forme d'apaisement. Ce que j'ai découvert tout au long de cette recherche a modifié en profondeur la personne que je suis ainsi que le regard que je porte sur la vie. Parce qu'en fait, c'est de la vie que nous n'avons pas cessé de parler depuis les premières pages de ce livre. *La mort n'existe pas, seule la peur de la mort existe, et c'est une peur atroce...*

9

Derrière la muraille immense
du brouillard

Un soir récent, allongé sur le lit, j'ai la sensation de la mortalité de mon corps. Je sens qu'il est vulnérable, en train de vieillir et qu'il n'est pas éternel. Étrange perception de fragilité. Nette, claire, très présente et très tangible. Est-ce là que commence la peur de la mort ? Dans les hésitations inattendues de son corps ? Mon père vient de dépasser les quatre-vingts ans. Quelles émotions cache-t-il au fond de lui lorsqu'il pense aux années à venir ? Pense-t-il à sa mort ? Comment celle de son fils peut-elle s'inscrire dans sa vie ?

Lui ai-je déjà dit qu'en 1988, déjà, je pensais à sa mort ? Depuis le maquis de la résistance, je confiais à des moudjahiddin repartant vers le Pakistan voisin le soin de poster des lettres pour lui et maman dans lesquelles je leur mentais. Je leur disais être dans les camps de réfugiés, au Pakistan, que tout allait bien, qu'il faisait chaud, alors que j'étais plongé dans la guerre. Je ne leur ai avoué avoir passé tous ces mois en Afghanistan qu'à mon retour. Mais lui ai-je dit que souvent là-bas je pensais à sa mort ? Imaginant que si elle survenait, je n'en saurais rien avant des semaines. Mais pourquoi serait-il mort, il avait à peine soixante ans ? Pourquoi ai-je toujours appréhendé sa mort ? Et toi, papa, tu y penses ?

— Chaque minute, oui ! Tout le temps, j'y pense absolument tout le temps. Heureusement j'ai un palliatif, c'est la peinture. Quand je peins, tout disparaît comme s'il y avait une transposition : je suis un homme qui a peur, mais c'est pas grave, je fais un truc extérieur à moi-même qui s'appelle une peinture.

— Ça fait longtemps que tu éprouves cette peur ?

— Non, c'est venu progressivement, mais disons que la mort de Thomas n'a pas arrangé les choses. Tout à coup la dame frappe sur ton épaule avec sa main, on ne pensait pas qu'elle était juste derrière et l'on s'aperçoit qu'elle y est !

— Et tu n'as pas envie de faire le pari de Pascal ?

— Si, on le fait toujours ! *Si je perds, je ne perds rien et si je gagne, je gagne tout.* Pourquoi pas ? Mais faire un pari et y croire, espérer, c'est quand même deux choses distinctes !

— Je trouve qu'il y a un côté irrationnel à se dire que rien ne pourra soulager cette peur... la peur de mourir. Si des gens ont trouvé des éléments suffisamment solides pour défendre l'idée d'une existence après, ça m'apaiserait, mais tu sembles dire que non.

— Il y a eu tellement d'opinions contradictoires sur ce sujet qu'on se demande bien, après tout, qui a raison. Qui peut savoir ? Quand l'un dit blanc, l'autre dit noir, et ils sont aussi honorables l'un que l'autre, et comme il y a autant d'opinions que d'individus, finalement à quoi bon continuer à se torturer l'esprit ?

— Mais alors c'est un peu comme si tu refusais cette question ?

— Au contraire ! Mais quand tu te trouves devant... allez, je vais continuer à faire le littéraire, avec Baudelaire : *la muraille immense du brouillard*. Je ne refuse rien mais derrière la muraille immense du brouillard, tu ne vois rien...

— Moi, je n'accepte pas de ne pas avoir de réponse, et je crois que certaines sont accessibles... Quelle est la première mort qui t'ait vraiment blessé ?

— Celle d'Alfred Rigny, mon oncle.

— C'était quand ?

— En 55, au mois de juin ou fin juillet. C'était mon oncle, je l'aimais beaucoup. J'ai appris sa mort alors que j'étais dans le Pays basque. Je savais qu'il était malade, mais mourant, je l'ignorais. C'est par un télégramme que j'ai appris, j'étais en excursion géographique dans le Pays basque. Il y a eu deux choses. D'abord la stupéfaction de voir ce saut dans l'inconnu, oui, la même stupéfaction que j'éprouverais beaucoup plus tard avec Thomas. Tout d'un coup, Alfred Rigny, où est-il ? Il a disparu... J'étais devant un très beau paysage – je suis très sensible aux paysages – et j'ai eu l'impression que ce paysage me parlait. Il y avait des collines puis des montagnes derrière... C'était comme si mon oncle était là quelque part dans le paysage... Le paysage répondait à la question ! C'est un sentiment qui ne repose sur rien, mais c'est un sentiment très fort.

— C'est-à-dire ?

— Je ne sais pas comment dire... comme si derrière le paysage il y avait quelque chose. Il y avait une réponse. Enfin pas derrière : au-delà des crêtes de la montagne, mais dans l'image qu'on a du paysage. Dans l'image sous-jacente il y avait comme une réponse, quelque chose... mais je sais pas quoi. Où est Alfred Rigny ? La question s'est amalgamée à la vision d'un paysage de montagne très verdoyant dans le Pays basque. Mais c'est incompréhensible.

— Ça t'a soulagé ? Ça a atténué ta peine ?

— Non. Pas vraiment. Le mystère est devenu plus impénétrable encore...

Où est Thomas ? Qui est mon frère maintenant qu'il est mort ? Vais-je le revoir ? Pourquoi instinctivement me paraît-il si important d'avoir ce geste alors que je suis jeté à genoux devant son corps ? Devant le corps de Thomas sur la route, ses mains dans les miennes, pourquoi lui ai-je parlé, leur ai-je parlé à tous les deux, m'adressant au vide au-dessus de leurs corps mêlés de poussière ? Ça a été un réflexe, une chose à laquelle je n'ai pas réfléchi. Une intuition. Tout mon être a ressenti ça comme impératif, la confusion qui habitait nos esprits semblait aussi *émaner* d'eux, comme lorsque vous connaissez les pensées, les sentiments de la personne à côté de vous sans la regarder. C'est ça : il se dégageait encore de Thomas et de Vadim de la confusion, de la stupeur, et pourtant ils étaient morts. Comment pouvais-je sentir cela malgré ma stupéfaction ? Je faisais encore parfaitement la différence entre mes propres sentiments et cette sensation de vide, d'hébétude, qui provenait bien d'eux.

Ai-je parlé dans le vide, ce matin d'avril 2001, alors qu'un soleil de printemps montait dans le ciel avec majesté ? Bien sûr que non, mais encore va-t-il falloir le prouver. Et, plus difficile, me le prouver à moi-même.

10

Une expérience de mort imminente

Je me plonge dans la question après, bien après.
Comme tout le monde j'ai entendu parler du tunnel, de la lumière que ces gens qui ont frôlé la mort
disent avoir vue. J'ai également lu ou entendu que
parfois les victimes d'accident, une fois ranimées,
racontent avoir observé la scène du dessus, comme
si elles étaient sorties de leur corps.

En me documentant, je découvre que de très
nombreuses personnes vivent ces expériences
au cours d'accidents comme celui qui emporta
Thomas, sur des tables d'opération ou dans d'autres circonstances. Ils reprennent connaissance
après avoir été déclarés morts durant une, deux
minutes, parfois plus. Ils ont vécu ce que les
médecins nomment aujourd'hui une NDE, en
français EMI, « expérience de mort imminente ».
Si on avait pu ranimer Thomas et le ramener à la
vie, est-ce ce qu'il nous aurait raconté : avoir vu
la scène du dessus ? Est-ce que les EMI ne sont
pas de simples hallucinations provoquées par
des accidents cérébraux, le choc d'une situation

extrême, ou je ne sais quoi encore ? Sont-ils morts ? Ont-ils commencé à mourir avant que le processus ne s'inverse ? Serait-ce ça, la mort ?

Je suis assez impressionné par l'une de mes premières rencontres avec une personne ayant vécu une EMI. Il s'appelle Jean, habite Toulouse et a presque l'âge de mon père. Nous faisons connaissance avec beaucoup de simplicité, une amitié s'amorce très spontanément. Jean déborde de vie, de bonne humeur.

L'été de ses vingt ans, il a reçu une balle dans la poitrine qui manqua bien de lui coûter la vie. Un accident idiot. En juin 1949, ce grand et solide gaillard effectuait son service national chez les 1ers hussards parachutistes à Auch, dans le Gers. À l'issue d'une manœuvre, les hommes se rassemblèrent et ordre fut donné de ranger les armes en tripode. Jean coinça son fusil contre lui et attrapa ceux de deux de ses camarades afin de les disposer en faisceau. Le canon d'un des fusils glissa sur la détente du sien, une balle était engagée dans la chambre, le coup partit. Une balle à blanc – mais à l'époque elles étaient en bois – alla se ficher dans sa poitrine, dispersant de nombreux petits éclats à l'intérieur de son thorax. Jean, sérieusement touché, fut projeté en arrière. « Elle avait éclaté dans ma cage thoracique, détruisant la moitié de mon foie, brûlant mon poumon droit et déchirant totalement mon diaphragme [1]. »

Il est à terre, perdant beaucoup de sang, mais reste conscient tandis qu'on l'évacue sur l'infirme-

---

1. Jean Morzelle, *Tout commence... après*, CLC Éditions, 2007, p. 34.

rie de la caserne. La gravité de la blessure est telle qu'il est envoyé à Toulouse sans tarder. Jean perd régulièrement connaissance durant le trajet et c'est dans un semi-coma qu'il aperçoit succinctement le portail en brique rouge de l'hôpital Larrey alors que l'ambulance militaire pénètre enfin dans la cour. La nuit est en train de tomber. Il est blessé depuis plus de cinq heures maintenant et a perdu énormément de sang. Le chirurgien, qui était au cinéma avec son épouse, est prévenu tandis que Jean est emmené au bloc. Il reprend connaissance pendant quelques instants très furtifs puis sombre pour de bon. Après un temps indéfini il se réveille, et la surprise est totale.

« J'étais en haut d'une pièce que je ne connaissais pas, où l'on opérait une personne sous un drap, une personne que je ne voyais pas. Je me trouvais en l'air, regardant le spectacle, intrigué, intéressé. J'étais là, en haut, dans un état particulier, je me sentais ailleurs. Je regardais un corps que l'on opérait mais ça n'était pas moi, comment dire... moi, j'étais en haut. Tout ce qu'on faisait à ce bonhomme en dessous, ça ne me concernait pas[1]. »

Jean semble reprendre connaissance... au plafond de la salle d'opération ! Il ne reconnaît d'abord pas le corps, caché par un drap et sur lequel s'affairent médecins et infirmières. Il est assez stupéfait de réaliser que c'est le sien ! Toutefois, il n'éprouve pas vraiment d'inquiétude et remarque qu'il peut bouger.

« C'est comme si ma pensée dirigeait mon action. J'avais envie d'aller là, je le faisais. À un moment

---

1. Jean Morzelle, entretien avec l'auteur, Toulouse.

donné j'ai eu envie de voir ce que faisait le chirurgien sur le corps de ce patient. Et comme si je zoomais instantanément, je me suis rapproché et j'ai vu le scalpel qui déchirait les peaux. J'ai vu ça de très près, comme si je devenais tout petit face à une image énorme. Je voyais à trois cent soixante degrés, devant, derrière. Si vous voulez, je pouvais voir de deux façons différentes, de deux endroits différents. En fait, je ne bougeais pas, je voyais sans changer de ma position au plafond. »

Jean observe la salle, voit même sous la table d'opération où une plaque retient son attention.

« Elle était accrochée au fer de la table, sur le bord. Une plaque de dix-huit centimètres, arrondie de chaque côté et marquée Manufacture d'armes et cycles de Saint-Étienne en lettres blanches sur un fond vert, avec un numéro. Puis j'ai eu envie d'aller voir contre le mur et je l'ai traversé ! Il n'y avait ni fente ni trou. Je me souviens de la confection du mur : des galets de Garonne, du sable, du béton, de la pierre rose de Toulouse. Je suis ressorti de l'autre côté, à l'extérieur, et j'ai vu un garage à vélos où il y avait trois vélos. J'ai vu un porche éclairé au fond, un grand parc. Je suis rentré à quelques mètres de l'endroit par où j'étais sorti. À nouveau dans la salle d'opération, j'ai remarqué un autre phénomène : j'entendais les paroles qu'allaient prononcer les gens avant que leurs bouches ne les formulent. Autrement dit, quand j'entendais une phrase dite par quelqu'un dans la salle, je l'avais déjà entendue à l'intérieur de moi. J'étais dans le cerveau des gens. Je captais la pensée des gens avant qu'ils ne prononcent leurs paroles. C'était curieux. »

Jean est témoin de la suite de l'opération : « Le chirurgien était en train d'extraire du sternum béant une masse sanguinolente qui était vraisemblablement un foie. J'observais toujours : il prit le foie avec sa main droite et, le posant sur sa main gauche, le découpa très doucement, avec d'infinies précautions, à l'aide d'un bistouri électrique[1]. J'ai été le premier Toulousain à bénéficier de la pénicilline et du bistouri électrique, le foie n'était pas opéré à l'époque. C'est la raison pour laquelle mes parents ont reçu un avis de décès de l'armée, parce qu'ayant vu que mon foie avait été touché, le médecin militaire... »

Très étrangement, ce spectacle ne semble pas émouvoir Jean outre mesure, il ne se sent pas concerné et poursuit son exploration.

« J'ai voulu sortir à nouveau. Les portes de la salle étaient vitrées. En traversant le verre j'ai eu la sensation que mon corps s'est étiré. C'est la seule fois où j'ai senti "se matérialiser" ce que j'étais. Comme un étranglement, comme si je passais dans un... je ne veux pas dire de bêtises, je ne vois pas comment je pourrais expliquer... c'est pas évident. J'ai senti que je m'allongeais légèrement... »

Dans le couloir, Jean arrive sur une pièce où se trouvent des robinets d'eau, il traverse des dortoirs sans plus se soucier des murs et des portes puis revient une nouvelle fois dans la salle où l'opération suit son cours, presque au moment où une des infirmières commence à se sentir mal.

« J'ai senti qu'elle allait tomber dans les pommes, j'ai senti ce vide en elle, c'est une sensation physique que j'ai perçue. »

---

1. Jean Morzelle, *Tout commence... après*, op. cit., p. 42.

Il assiste aux échanges qui ont lieu dans la salle entre médecins et infirmières, puis se sent à nouveau attiré vers un point de la salle...

« Je suis au-dessus de ce corps qu'on continue à charcuter, je descends légèrement puis je suis remonté dans ce qui ressemblait soudain à un tunnel, un espace qui devenait de plus en plus noir à mesure que je m'y engageais. La salle d'opération avait disparu. Dans ce tunnel, il y avait comme des nuages mais ce n'était pas des nuages... Au-dessus il y avait une sorte de voile bleu qui flottait. Je suis sorti dans un espace noir, mais d'un noir ! Il ne se passait rien, je ne sais pas combien de temps ça a duré, peut-être seulement une fraction de seconde. Et puis, brusquement, j'ai vu une lueur, une clarté que je distinguais mieux au fur et à mesure qu'elle s'approchait de moi. C'était juste un point, puis elle est devenue quelque chose de... pour la décrire je ne saurais vraiment pas... c'était fabuleux, énorme. Mais ces mots ne veulent strictement rien dire... c'était une lueur, une lumière... une lumière bleutée, légèrement bleutée et cette lumière, elle était... vivante. Elle m'a parlé et elle était pleine d'amour. Comment une lumière peut-elle être pleine d'amour ? Ça a été le plus grand moment de ma vie, j'étais dans une euphorie et un bonheur... une joie... j'étais transporté, incroyablement heureux. Et puis cette lumière m'a parlé ! On a parlé un moment. C'était pas un dialogue, c'était... du ressenti. J'ai même senti que je savais tout, que je connaissais tout. Je sais qu'à un moment j'ai su ! Quand je me suis réveillé, je ne savais plus rien... Je n'ai aucune idée de combien de temps cela a duré. Quelques secondes, quelques minutes, je ne sais pas. Toujours est-il qu'à un moment donné, je suis redescendu et la lumière s'est éloignée de moi. En fait, je pensais que la lumière partait, mais c'était moi qui redescendais. Si vous voulez, autant j'ai été heureux auprès de cette lumière, autant j'étais catastrophé de la quitter. Terrible, terrible... mais elle m'a laissé prendre une étincelle que j'ai toujours en moi... Je suis revenu au-dessus de mon corps et je l'ai réintégré par la fontanelle. Je ne me souviens pas de comment j'étais "sorti", puisque quand je me suis "réveillé", j'étais au plafond, mais je me suis senti rentrer dans ce corps qui est devenu le mien à ce moment-là, et seulement à ce moment-là. Je l'ai épousé comme une main épouse un gant. Je me rappelle mon "moi" pénétrant jusqu'au bout de tous les doigts de pieds. C'est là que j'ai recommencé à souffrir. »

Jean s'endort. Il retrouve la souffrance et le noir. « J'avais horriblement mal. Je souffrais à nouveau, je vivais à nouveau[1] ! »

« Tant que je n'ai pas eu la certitude que ce que j'avais vécu était vrai, pendant dix à douze jours ça a été un calvaire. Une fièvre de cheval me terrassait malgré la pénicilline toutes les trois heures, je suis monté jusqu'à quarante et un de fièvre. Mais bon, je sortais des parachutistes, je faisais beaucoup de football, de sport, j'étais costaud... mais j'avais soif, soif ! Lorsque j'ai pu me soulever un peu... je me suis levé et je suis allé boire là où j'avais vu des robinets durant mon EMI. Je reconnaissais le couloir... »

Et ils sont là, les robinets ! Là où Jean se souvient de les avoir vus alors que son corps était ouvert sur

---

1. *Ibid.*, p. 47.

une table d'opération et qu'un chirurgien tenait son foie dans sa main droite ! Comment pouvait-il savoir cela, alors qu'il était dans le coma en arrivant à l'hôpital Larrey ? La présence de ces robinets à l'endroit où il les avait vus l'impressionna beaucoup.

« C'était le premier point, la confirmation... ça m'a rassuré de savoir que j'avais bien vu ce poste d'eau. »

Quand Jean est suffisamment remis et regarde par la fenêtre de l'hôpital, il constate là encore que le garage à vélos mais aussi le parc sont conformes à la vision qu'il en a eue la nuit de son opération. Tout devient cohérent, mais si vertigineux.

« C'était pour moi un tel bonheur ! Physiquement, je n'allais pas bien, mais ça n'avait aucune importance. Ce qui était important, c'était que ce que j'avais vu soit vrai. Ça, c'était important. J'étais heureux... »

Jusqu'à ce qu'il en parle à son chirurgien.

« J'avais un trou de vingt-sept centimètres de profondeur avec des morceaux de foie qui remontaient et qu'il m'enlevait régulièrement. Un jour je lui ai dit qu'il avait mal fait son travail : "Pendant que vous aviez mon foie dans votre main gauche, que vous l'avez passé dans votre main droite et que vous l'avez entaillé, vous avez mal fait votre travail." Il me dit : "On te l'a raconté ? – Non, je l'ai vu." »

Et Jean de lui parler de son expérience en détail : « Je lui racontai alors ce qui m'était arrivé, comment je l'avais vu m'opérer depuis le haut de la salle d'opération. Il était intrigué et proposa que nous en reparlions. Plus tard, alors qu'il me demandait encore des détails sur les "visions" que j'avais eues, je lui parlai de la plaque sous la table d'opération[1]. » Jean mentionne la plaque Manufacture d'armes et cycles de Saint-Étienne qu'il aurait aperçue en passant sous la table lors de l'opération. « Alors il me dit : "Enfin, il y a dix ans que j'ai cette table, je sais bien qu'il n'y a pas de plaque, je vais aller voir." Il y est allé et cinq minutes plus tard il est revenu, blanc comme un linge. "Elle y est !" me confia-t-il. Il était très, très ému. »

On le serait à moins ! Voilà un patient qui raconte à son chirurgien avoir fait une longue promenade dans les airs pendant que ce dernier était en train de tenter de le ramener à la vie.

Une question me taraude alors que je quitte Jean et me dirige vers la gare afin de rentrer à Paris : comment avait-il bien pu observer – et se souvenir – de tous ces détails survenus lors de son opération, alors même que son corps meurtri gisait sur la table d'un hôpital où il n'avait jamais mis les pieds auparavant ? Et qu'il était inconscient ! Imaginez-vous décrire une pièce dans laquelle on vous aurait placé alors que vous êtes en train de dormir, que vous avez un masque sur les yeux et que vous ignorez tout de l'endroit ! Jean est-il réellement sorti de son corps ?

Ces visions de tunnel que rapportent des accidentés, cette impression de flotter au-dessus de son corps, ces anecdotes que vient de me raconter Jean et dont témoignent tant d'autres personnes à travers le monde ne seraient pas forcément dues à

1. *Ibid.*, p. 51.

des hallucinations ? Et ces gens rapportant des EMI étaient-ils vraiment morts lorsqu'ils firent ce type d'expérience ? Il me faut absolument savoir ce que la science pense des EMI, ce que des neurologues, des médecins, des anesthésistes, ces professionnels quotidiennement en contact avec des personnes en fin de vie pensent de ces cas. Que s'est-il passé pour Thomas durant ces secondes qui ont suivi l'accident ? À cette question, des dizaines de milliers d'hommes, de femmes et même d'enfants semblent pouvoir me répondre. Des dizaines de milliers de gens qui avaient commencé à mourir... mais qui ont été « récupérés » avant que le processus ne soit irréversible.

Et puis, une nuit d'hiver, je fais ce rêve, comme une information qui s'impose et, au matin, je reviens avec cette phrase en tête : même quand on meurt *vraiment*, c'est-à-dire lorsqu'on ne revient pas pour raconter, ce qui se passe alors est identique à ce que rapportent les témoins d'EMI.

11

La lumière et l'obscurité

Je quitte Jean, et Toulouse, avec le sentiment qu'une piste sérieuse s'est ouverte. De la lumière. À la gare je suis en avance. Au kiosque à journaux, un peu absent, je feuillette trois magazines en laissant s'égréner les minutes puis je tombe devant le livre événement de l'automne, que j'achète. Une impulsion, un peu de gêne, de l'impatience aussi, cette excitation qui précède l'ouverture d'un nouveau livre dont on pressent qu'il ne vous laissera pas intact. *Les Bienveillantes*. Pourquoi ai-je acheté ce livre ? Pourquoi me suis-je replongé dans l'horreur ? « Et, comme du fond des mers, des abysses glacés de l'oubli, surgissent des sentiments, des pensées dont on avait perdu depuis longtemps la trace [1]... »

C'est réellement aujourd'hui, en écrivant ces mots, que je réalise combien en moi s'affrontent ces deux figures : la lumière et l'obscurité. J'ai des

_____

1. Vassili Grossman, *Vie et Destin*, Robert Laffont, « Bouquins », 2006, p. 636.

dossiers à lire, d'autres livres m'attendent, mais j'achète *Les Bienveillantes* quelques heures après avoir entendu Jean. Ce n'est pas anodin, je m'en rends pleinement compte maintenant. Une partie de moi veut retrouver la guerre, l'obscurité, après avoir été éclairé par Jean. C'est incroyable, je n'avais pas saisi cela jusqu'à maintenant. Je suis ces deux extrêmes, mais tous les êtres humains ne le sont-ils pas justement ? Je quitte Jean, et reviens sur Paris en glissant dans l'horreur. Cinq heures de voyage engloutis, et je ne quitte pas ce livre. Durant les cinq jours qui suivent, je l'avale jusqu'à la nausée, je m'y plonge, j'y disparais, j'exprime une partie de moi. Oh, comme il est douloureux de le reconnaître ! Comme il est difficile de sortir de cette béatitude vulgaire, de se voir avec clarté. C'est ça, le talent de Jonathan Littell, sans doute, au-delà de sa plume fabuleusement maîtrisée : nous montrer qui nous pourrions être, chacun de nous. Sans mensonge. Je suis la lumière et la terreur aussi. Prix Goncourt dans quelques semaines.

« Une belle grande femme en tenue de soirée un peu négligée m'ouvrit, les yeux brillants. "Oui ?" Derrière elle, la musique rugissait, j'entendais des tintements de verres, des rires affolés. "C'est votre chambre ?" demandai-je, le cœur battant. "Non. Attendez." Elle se retourna : "Dicky ! Dicky ! Un officier te demande." Un homme en veston, un peu ivre, vint à la porte ; la femme nous regardait sans cacher sa curiosité. "Oui, Herr Sturmbannführer ? fit-il. Que puis-je pour vous ?" Sa voix affectée, cordiale, presque brouillée traduisait l'aristocrate de vieille souche. Je m'inclinai légèrement et débitai d'un ton le plus neutre possible :

"J'habite la chambre au-dessus de la vôtr... reviens de Stalingrad où j'ai été grièvement b...... et où presque tous mes camarades sont morts. Vos festivités me dérangent. J'ai voulu descendre vous tuer, mais j'ai téléphoné à un ami, qui m'a conseillé de venir vous parler d'abord[1]..." »

Je me souviens de cette *possibilité de tuer* qui me martèle le crâne au retour de mon premier reportage de guerre. Étranges journées de juillet 1988 : je marche dans les rues de Paris, je ne comprends plus ce que je vois autour de moi, la joie, l'insouciance, l'amnésie, moi qui saisis soudain avec malaise que rien ne me distingue des combattants que j'ai laissés derrière moi en Afghanistan, deux semaines auparavant. *Possibilité de tuer*. Qu'est-ce qui m'arrête vraiment ? « Quel homme seul, de sa propre volonté, peut trancher et dire : Ceci est bien, cela est mal[2] ? »

J'avais alors la moitié de mon âge. Cela fait vingt ans... et ces vingt années sont énormes. Souvenirs déjà si irréels. Trop loin. Quelqu'un que je ne suis plus. Je ne suis pas la personne qui était là-bas en 1988. Je n'arrive pas à dégager quelque chose du reste, il y a comme un voile, quelque chose qui manque, une peur sous-jacente qui devait tout le temps être là. Je ne sais pas, c'était il y a trop longtemps. Ai-je eu peur ? Ai-je peur aujourd'hui ?

Peu après mon retour de Toulouse, je reçois une lettre de Jean. Entre-temps j'ai appris qu'il a perdu ses deux fils. Survivre à ses propres enfants ! Il l'a

1. Jonathan Littell, *Les Bienveillantes*, Gallimard, 2006, p. 413.
2. *Ibid.*, p. 545.

n gardant cette joie de vivre, cet amour de la
e réalise soudain combien son EMI a modifié
en profondeur la personne qu'il est, et combien
elle l'a aidé à traverser cette épreuve terrible en lui
permettant d'entrevoir peut-être au-delà des apparences. Jean est un père qui a enterré ses deux fils :
c'est ce que j'ai à l'esprit en lisant la fin de sa lettre :
« J'essaye de faire passer le message que la mort
n'est pas le néant, c'est le début d'autre chose... »

12

E.M.I., une énigme pour la science

« Malheur à celui qui rêve : le réveil est la pire des souffrances. Mais cela ne nous arrive guère, et nos rêves ne sont pas longs[1]. » La mort est-elle le début d'un long rêve ? Ou le commencement d'autre chose ; je veux bien, mais de quoi ? Jean, à l'instar des dizaines de personnes ayant vécu une expérience de mort imminente, avait-il commencé à mourir sur cette table d'opération ? Le jour où cela m'arrivera, est-ce que ma mort débutera de cette manière-là ? Thomas nous a-t-il vus arriver sur le lieu de l'accident ? « Volait »-il au-dessus de son corps dans les minutes qui suivirent son décès ?

Les médecins ne savent pas ce qu'est la mort. Ils en ont peur, et peinent à la définir. Pour la science, aujourd'hui, la mort n'a rien d'une évidence, car elle ressemble plus à un processus dans le temps qu'à un état précis. La mort est une décision de vivant. Chaque année, 525 000 personnes meurent

---

1. Primo Levi, *Si c'est un homme*, Julliard, 1987, p. 62.

en moyenne en France. Une soixanta[...]tes les heures. Une toutes les minutes. Autr[...] mort était constatée après l'arrêt total du fonctionnement soit du cœur, soit de la respiration. Lorsque le cœur stoppe, l'apport en oxygène dans le cerveau cesse en quelques secondes et très vite le cerveau ne fonctionne plus, ce qui arrête progressivement l'ensemble des fonctions vitales, dont la respiration. Dans le cas d'un arrêt respiratoire, la non-oxygénation du cerveau entraîne la cessation de l'activité cérébrale, et là encore cette absence de commande centrale désactive les fonctions vitales, donc le cœur. Enfin, une altération directe du cerveau entraîne la cessation quasi immédiate de la respiration[1]. Voilà le cercle de la vie : le cœur, les poumons et le cerveau.

Mais aujourd'hui nos machines peuvent pallier les défaillances de chacun de ces trois organes. Presque indéfiniment. On peut donc maintenir en vie un corps sans vie. Aussi la mort est-elle devenue une décision légale : deux électroencéphalogrammes plats à quatre heures d'intervalle autorisent à déclarer la mort d'une personne et à prélever ses organes. La question juridique est résolue, mais pas celle de la science. On a amalgamé l'arrêt de certaines fonctions physiologiques avec l'arrêt de la vie : n'a-t-on pas d'innombrables exemples de femmes et d'hommes qui rapportent avoir continué à *vivre* alors que selon nos critères médicaux ils étaient morts ! Faut-il nier leurs expériences en bloc, par principe, ou réfléchir à la pertinence de nos connaissances ? Il est possible de

---

1. Louis-Vincent Thomas, *La Mort*, PUF, « Que sais-je ? », 1988, p. 15.

maintenir artificiellement le fonctionnement biologique d'un organisme, d'un corps, mais que sait-on sur ce qui se passe pour l'individu inaccessible, puisqu'il apparaît maintenant que cet individu continue d'*exister* ? Que sait-on de sa conscience ? Voilà, le mot est lâché.

Selon le schéma scientifique actuel – que les EMI fragilisent énormément – la conscience serait un épiphénomène du cerveau, une fabrication de nos neurones. Donc, si un cerveau ne fonctionne plus, il en va de même pour la conscience : elle disparaît. Que fait-on alors de ces innombrables expériences humaines qui contredisent cela ? Des milliers de médecins, d'infirmières, de personnel soignant au sens large constatent chaque jour que certains de leurs patients ont traversé de telles expériences. Au réveil d'un coma végétatif ou même d'un état de mort clinique, de manière absolument incompréhensible, des personnes disent avoir perçu leur environnement, entendu ce qui se passait dans la pièce, vu leurs proches, avoir observé et s'être souvenu d'événements qui se sont produits alors que leur corps était physiologiquement incapable de la moindre activité.

Les EMI posent plusieurs problèmes de taille au monde médical, c'est le moins que l'on puisse dire. Comment un état de conscience peut-il se poursuivre après l'arrêt du cerveau ? De façon plus générale, plusieurs caractéristiques du déroulement d'une EMI ne reçoivent aucune explication satisfaisante, encore aujourd'hui. Par exemple, une des plus incroyables : alors que des milliers de témoins rapportent être sortis de leur corps, pour la médecine, ça n'a pas de nom, ça n'est pas possible. En conséquence, il est légitime de poser plusieurs hypothèses : les EMI constituent-elles une partie du processus du décès ? Doit-on replacer le moment de la mort au-delà de ce que nos instruments sont en mesure de détecter aujourd'hui ? Ou se peut-il que ces expériences soient le début d'un processus de transformation et que cette partie de nous qui perçoit, qui regarde, qui voit, continue son existence même après que le corps a définitivement cessé de fonctionner ?

« La première chose qui t'arrive, c'est de voir ton corps quelque part et toi de voir plein de couleurs, plein de trucs, plein de sons que tu n'as jamais entendus. Tu ne comprends plus rien. Tu es et tu n'es pas dans ton corps, alors qu'est-ce qui entend ? Qu'est-ce qui voit, qu'est-ce qui sent, puisque tu n'as pas de corps, il est ailleurs [1] ! »

En France, le Dr Jean-Pierre Jourdan, vice-président et directeur de la recherche médicale de l'association IANDS-France, créée en 1987 par l'anthropologue Évelyne-Sarah Mercier, a publié un ouvrage remarquable présentant vingt ans de recherche et dans lequel, s'appuyant sur l'analyse détaillée de soixante-dix témoignages, il met en avant un certain nombre de similitudes entre tous ces récits. « Un témoignage est par essence subjectif, et cette subjectivité est, en apparence, la principale difficulté de l'étude de ces expériences. Mais si chaque récit isolé est effectivement le reflet

---

1. Dr Jean-Pierre Jourdan, *Deadline, EMI : une énigme pour la science*, Les 3 Orangers, 2007, p. 19.

d'une expérience personnelle, unique, et sans autre témoin que celui qui l'a vécue, c'est l'accumulation et la cohérence de ces témoignages qui procurent aux EMI un début d'objectivité[1]. »

Le Dr Jourdan souligne que le simple fait de pouvoir vivre et mémoriser une expérience quelconque – fût-elle purement subjective – à un moment où l'état cérébral ne le permet tout simplement pas reste une énigme sans réponse. Il poursuit : « L'expérience peut survenir alors que le cerveau se trouve dans des états physiologiques extrêmement variés. L'état de conscience rapporté par les témoins est remarquablement similaire d'une expérience à l'autre. Tous parlent d'une conscience extrêmement lucide, qu'il s'agisse de personnes en parfaite santé, d'un coma profond, d'une anoxie aiguë, de la prise de drogues allant jusqu'à l'overdose, voire même d'une hypothermie profonde documentée ou d'un arrêt cardiaque prolongé durant lesquels aucune activité cérébrale n'est possible. Cette constatation va à l'encontre de tout ce que nous savons sur le fonctionnement cérébral et sur les corrélations habituelles entre ce dernier et l'état de conscience éprouvé[2]. » Ces simples faits – la grande clarté ainsi que la similitude de toutes ces expériences de mort imminente intervenant dans des circonstances et des états physiologiques pourtant extrêmement variés – sont inexplicables. Et ils ouvrent des perspectives vertigineuses.

Avec beaucoup de finesse et de rigueur, le Dr Jourdan constate que « les EMI sont une

---

1. *Ibid.*, p. 21.
2. *Ibid.*, p. 332.

apparente incongruité pour la science matérialiste. Elles sont indéniables, mais semblent impliquer, nous en avons eu plusieurs exemples, qu'une conscience lucide puisse persister indépendamment d'états physiologiques cérébraux extrêmement variés allant de la normale jusqu'à l'inactivité totale [...] Si la conscience peut persister alors que son supposé support est hors d'état de marche, cela implique qu'elle puisse exister par elle-même[1]. »

Que la conscience puisse exister par elle-même ?!?

Un autre médecin, le Dr Jean-Jacques Charbonier, anesthésiste réanimateur et auteur de plusieurs ouvrages sur les EMI, en est, lui, totalement convaincu, après avoir été témoin de plusieurs faits troublants dans sa pratique.

— Ma première expérience de Samu a été un moment déclencheur. J'ai été appelé pour un accident, c'était déjà une journée pénible parce que juste avant on était intervenus sur un suicide par défenestration. Et puis arrive cet accident où je dois entrer dans la carcasse d'une voiture par le pare-brise pour atteindre le blessé, aidé par les pompiers. La victime était un jeune garçon. J'ai voulu le perfuser mais je n'y arrivais pas, et ce garçon coincé dans l'habitacle, sous mes yeux, est parti. J'ai vu la lumière s'éteindre dans ses yeux. Sa pupille s'est dilatée, ce qui est le signe d'une souffrance cérébrale, mais j'ai vu aussi la « lumière de vie » s'en aller doucement... quelque chose de très intime est parti à cet instant, et m'a frôlé le côté droit du visage. C'est une sensation que je n'ai plus

---

1. *Ibid.*, p. 250.

jamais ressentie. J'ai revu plus tard cette lumière s'en aller des regards, c'est la vie qui s'en va, mais je n'ai plus jamais ressenti ce souffle. C'était un souffle, pas un déplacement d'air, il n'y a pas de mots pour décrire ça, quelque chose est parti, s'est élevé et m'a frôlé. Instantanément, la vie est partie, le corps n'était plus qu'une enveloppe de chair. C'était flagrant, mais si difficile à traduire pour qui ne l'a pas connu.

— En qualité de médecin, vous avez tout le bagage pour trouver une explication rationnelle à cette expérience : les poumons qui se vident, l'activité électrique qui s'arrête, etc.

— Oui, pourtant quelque chose est parti par le visage. Je ne sais pas comment le traduire... quelque chose d'immatériel, et pourtant palpable. J'emploie le mot « souffle » parce que je trouve que « souffle de vie » se rapproche le plus de ce que j'ai ressenti, mais ce serait un souffle sans déplacement d'air. C'était assez compact, quelque chose qui s'élève et qui s'en va... Les pompiers avaient ouvert la carcasse accidentée, je m'y étais glissé par le pare-brise. J'étais très près de lui à ce moment-là. Depuis, pratiquement à chaque fois que j'ai vu mourir quelqu'un sous mes yeux, j'ai senti le moment où la vie sortait du corps. C'est très fort ! Lorsque l'on voit partir quelqu'un sous ses yeux, on sait précisément à quel moment la vie s'en va. On le perçoit. C'est tellement évident que ça a affecté mon attitude de réanimateur : il y a eu des moments où j'ai poursuivi la réanimation au-delà du raisonnable, chez des noyés, des électro-cutés, parce que je savais que la vie était encore là, je ne l'avais pas encore vue disparaître des yeux, alors que je constatais tous les signes physiologiques de souffrance cérébrale. Il se trouve que dans la plupart des cas j'ai eu raison de continuer ! Je ranimais finalement la personne. Et pareillement, ceux que j'avais vus partir l'étaient vraiment. J'avais beau m'acharner, eux ne revenaient jamais. Aujourd'hui, ce qui me fascine avec les EMI, c'est qu'après être « parti de son corps », on continue à avoir des perceptions, des visions, une audition que l'on n'a même pas à l'état de veille. Comment pourrait-on voir des choses à distance ? Comment un comateux profond peut-il percevoir la présence des gens qui viennent le voir ? Car ils disent percevoir les personnes qui sont présentes, sentir l'amour qu'on leur prodigue... C'est pour ça qu'il ne faut pas les abandonner, même ceux qui sont en coma très profond.

— Quels sont les éléments tangibles qui vous permettent de dire que devant une personne racontant être « partie de son corps », on n'est pas dans l'hallucination, ou un quelconque désordre cérébral ?

— Eh bien, par exemple, rien n'explique la décorporation dans le cadre d'une EMI. Ce sont des expériences durant lesquelles les gens semblent réellement être sortis de leur corps puisqu'ils peuvent voir des détails qui se trouvent à distance, détails qu'ils ne peuvent pas reconstituer avec leur cerveau, et qui sont confirmés par la suite. Les personnes qui rapportent des véritables décorporations sont capables d'aller voir derrière un mur ou encore dans une salle d'attente. Des gens avec un encéphalogramme plat ont pu décrire avec précision ce qui se passait au moment de leur opération.

Comme dans le cas de cette jeune femme, Pam Reynolds, dont on a supprimé la circulation sanguine pendant la durée de l'opération. On a refroidi son cerveau et on mesurait son activité électrique qui était nulle ! Elle n'avait aucune possibilité d'analyse neurosensorielle. Et pourtant elle voyait avec autre chose que ses yeux, elle entendait avec autre chose que ses oreilles la conversation entre le neurologue et le chirurgien et elle voyait les instruments, etc. Les EMI montrant de telles caractéristiques ne peuvent pas s'expliquer par une simple hallucination.

Oui, il est possible de percevoir clairement son environnement, de *continuer à vivre*, alors que le cerveau est totalement inactif, plus irrigué et montrant tous les signes de mort clinique. La preuve, c'est ce cas stupéfiant de Pam Reynolds. Il est bouleversant, parce qu'au moment où Pam Reynolds est sortie de son corps pour vivre une EMI complète, elle se trouvait sur une table d'opération et en état d'hypothermie avancée, n'avait plus une goutte de sang dans le corps, et tous les instruments indiquaient qu'elle était morte depuis de longues minutes. Comment la mémoire fonctionne-t-elle sans activité cérébrale ? Comment garder la mémoire subjective d'une expérience... sans cerveau ? C'est totalement impossible ! Ce jour-là, Pamela Reynolds fut plongée en état de mort clinique durant près d'une heure !

C'est aux États-Unis que cette opération avait eu lieu, je devais en savoir plus. Ce cas avait eu des implications importantes sur l'étude des EMI, il jetait une lumière scientifique indiscutable sur ces expériences aux frontières de la mort.

Voici l'image de mon frère, son corps couché sur l'épaule, dans la poussière, blessé, ma voiture se range en contrebas, à vingt mètres de lui, quelques instants après l'accident, je m'en extirpe, m'élance vers lui les veines en feu, ma tête qui explose. Et si, Thomas, tu étais encore là ?... Et si plutôt qu'un rêve la mort était un réveil ? « Le prince André se sent mourir ! À ce moment il comprit qu'il dormait, et, faisant un violent effort, il se réveilla... "Oui, c'était bien là la mort !... mourir et se réveiller ! La mort est donc le réveil ?" Cette pensée passa comme un éclair dans son esprit, et un coin du voile qui lui dérobait encore l'inconnu se releva dans son âme ! Il sentit son corps délivré des liens qui l'attachaient à la terre, et il éprouva un mystérieux bien-être, qui depuis lors ne le quitta plus ![1] »

1. Léon Tolstoï, *La Guerre et la Paix*, traduit par une Russe avec l'autorisation de l'auteur, tome 3, p. 238, Hachette, 1896.

13

Le cas « Pam Reynolds »

Il fait noir. Je suis seul, au volant d'une voiture qui file dans la nuit, sur une autoroute déserte. Le soleil est parti tôt. La journée commencée à Boston, où de la neige boueuse fondait sur les chaussées, a été pâle. Pris un avion dans l'après-midi à Logan, ai longé la côte Est noyée de brumes froides et indécises. Spectacle hivernal de ces enfilades de nuages métalliques.

J'ai rendez-vous avec le Dr Bruce Greyson, professeur de psychiatrie, directeur de la Division of Perceptual Studies et du département de médecine psychiatrique de l'Université de Virginie. Installé à Charlottesville, il est aujourd'hui l'un des spécialistes mondiaux les plus respectés sur les EMI.

Je roule depuis l'aéroport de Richmond en direction de Charlottesville lorsque la nuit s'étend tout à fait. Sortie des agglomérations, voici la forêt. Sur la radio, je passe d'une station à une autre puis, soudain, je reconnais l'air. Aussitôt les images surgissent. La seconde d'avant, je pensais à tout autre chose, puis en un instant, sorties du néant à cause de trois ou quatre notes, voici un univers entier, des odeurs, des souvenirs, des couleurs, une histoire qui se déroule, des émotions, oh oui, des émotions, si fortes, qui se répandent dans mon corps, si précises. Je replace ma main libre sur le volant, je tasse mon dos contre le dossier, je regarde devant moi, les yeux calés mécaniquement sur le faisceau des phares qui éclairent l'asphalte, et la lourde voiture de location traverse une forêt endormie, froide, déserte, en janvier, pleine de sapins sombres. Et la mélodie déploie sous mes yeux des enfants qui nagent les uns sur les autres. Leurs corps nus se frôlent, se bousculent. Ils ont la peau marron et vont au ralenti. Leurs cheveux crépus sont brun roux, ils ont les yeux clairs et les gardent ouverts sous l'eau transparente. Ils font des mouvements agiles de leurs bras et de leurs jambes, à quelques dizaines de centimètres de coraux coupants. L'innocence du monde. La naissance. Le paradis sur terre se trouve au bord de l'eau. Un homme blanc passe en souriant sur une petite pirogue. Il sourit, il sourit comme seuls les hommes un peu d'ailleurs peuvent le faire. Conscient du désastre, joyeux malgré tout, de ce que la vie offre aussi. Cet homme est dans une parenthèse. Il se tient au bord de la guerre. Étranger dans ce monde incompréhensible. Cet homme me ressemble, et ressemble aussi beaucoup à mon frère Thomas. Cet homme, le soldat Witt, cherche aussi la mort dans les yeux de ses frères. La raison, le pourquoi, avec innocence et liberté. Le soldat Witt est l'un des personnages du film *La Ligne rouge* de Terrence Malick. Et ce film qui me bouleverse tant, que j'ai vu je ne sais combien de fois, et que Thomas avait vu aussi, ce film qui l'avait remué, commence sur ce morceau, du *Requiem* de Fauré : « In Paradisum ». Un chœur d'enfants m'emporte tout à fait ailleurs, loin de cette route de Virginie, de cette nuit de janvier. Quelle est cette émotion qui me poursuit et se débat en moi ?

Nuit solitaire dans une chambre inconnue, sans rêves dont j'aurais gardé le souvenir. Au matin, je découvre que la Division of Perceptual Studies se trouve au dos de mon hôtel. C'est une maison à deux étages, en bois, d'un style un peu désuet. Ce service fondé en 1967 par le Dr Ian Stevenson coordonne des recherches scientifiques sur différents phénomènes parfois qualifiés de « paranormaux », comme les perceptions extrasensorielles telles que la télépathie, mais aussi les apparitions et visions au seuil de la mort, les poltergeists, les expériences de mort imminente, les sorties hors du corps et les souvenirs prétendus de vie antérieure, la spécialité de Stevenson. Membre de la division depuis 1995, le Dr Greyson en a pris la direction au début de l'année 2002. La survie de la conscience après la mort est un thème de recherche prépondérant dans les activités de ce centre. Bruce Greyson m'avait prévenu, je le trouve en plein déménagement ; le service va intégrer des locaux neufs situés dans l'enceinte de l'université d'ici quelques semaines. Cette petite maison pleine d'histoire et occupée depuis si longtemps va être abandonnée. Les cartons s'empilent en colonnes, dossiers à trier, livres à classer, des décennies de recherches à ordonner. Ce transfert accapare le peu de temps libre dont dispose le Dr Greyson. J'ai besoin d'une paire

out au plus. Son ton précis, médical, va
d'en venir immédiatement au fait. Je
ndre sur l'intervention qu'a eu à subir
olds, et comprendre les vrais enjeux de
cette expérience constatée dans des circonstances
hors du commun.

Il est tôt, et le Dr Greyson me fait signe de le
suivre dans son bureau. C'est un homme d'une cin-
quantaine d'années, alerte et très courtois. Son
regard est vif, presque impatient, mais ce trait-là
est masqué par la prévenance qu'il montre à m'accueillir dans son service. Des mots précis, un buste
charpenté, solide et sec, serré dans une chemise
rayée boutonnée aux poignets, et fermée au cou
par une cravate bleu sombre. Belles épaules. Front
haut, fines lunettes, bouche prudente. Observateur. Ses réponses sont très méthodiques. Bien
qu'auteur de nombreux articles ou chapitres d'ouvrages collectifs, Bruce Greyson n'a pas encore
publié de livre. « Parce que je n'ai pas terminé mes
recherches ! » Il se lance devant moi dans un des-
criptif médical complet du cas Pam Reynolds.

— Un anévrisme se présente sur une partie de
l'artère dont la paroi est très faible, ce qui provoque
un gonflement. La pression s'accroît, la paroi
continue de s'affaiblir et le gonflement augmente.
Le risque est que la paroi éclate et qu'une hémorragie se déclenche. Si cela se produit dans le cerveau,
qui est enfermé dans la boîte crânienne, le sang ne
peut s'échapper nulle part. Alors il comprime le
cerveau, ce qui peut devenir rapidement fatal.
Dans le cas de Pam Reynolds, l'anévrisme était
important et se trouvait à un endroit très difficile

d'accès, à la base du cerveau. Il était quasiment impossible d'intervenir chirurgicalement pour l'enlever sans risque d'éclatement. Les médecins ont alors opté pour une procédure rarement utilisée, appelée « arrêt circulatoire hypothermique », consistant à drainer tout le sang à l'extérieur du corps afin de supprimer la pression dans les artères et ainsi dans l'anévrisme. Une fois le corps vidé de son sang, on peut atteindre l'anévrisme et le supprimer. Pourtant, si vous drainez le sang à l'extérieur d'un corps, normalement il meurt, car le cerveau a un besoin vital de sang. En l'absence de circulation sanguine dans le cerveau, au-delà de quatre à cinq minutes des changements irréversibles se produisent. Donc les chirurgiens doivent protéger le cerveau contre ce manque d'oxygène. Au préalable, du phénobarbital ou des barbituriques à haute dose sont administrés au patient, ralentissant le métabolisme et diminuant ainsi les besoins du cerveau en oxygène. Ensuite, ils abaissent la température du corps à 15,5° C, en fixant un cathéter dans l'artère fémorale afin de sortir le sang du corps pour le rafraîchir dans un bain de glace et le réintroduire ensuite dans le corps par la veine fémorale. Du sang tiède est extrait, refroidi et réinjecté dans le corps, provoquant le refroidissement de tout le corps. Dès que la température du corps atteint 15,5° C, on arrête la pompe qui réinjecte le sang, puis le corps est incliné afin qu'il se vide entièrement de son sang dans un container extérieur. Sous barbituriques, et dans ces conditions d'hypothermie, le corps peut normalement survivre entre trente et soixante minutes, mais la procédure est très risquée et beaucoup en meurent.

Bon nombre de survivants subissent en outre des dommages cérébraux graves. Ce n'est donc pas une procédure utilisée à la légère, mais là, il était question de sauver une vie. Si cette procédure n'avait pas été utilisée, Pam Reynolds serait morte dès l'éclatement de l'anévrisme, qui se serait produit tôt ou tard. Au cours de l'intervention chirurgicale de Pam Reynolds, elle a d'abord été anesthésiée. On lui a placé des écouteurs, adaptés spécialement à ses oreilles, émettant un cliquetis très rapide et très fort, de l'ordre de cent décibels, correspondant à un orchestre jouant à un volume maximum.

— Pourquoi ?

— Parce qu'on avait placé une électrode profondément dans son cerveau, destinée à enregistrer ses réactions cérébrales à ces cliquetis. Lorsque le cerveau ne montra plus de réaction, on savait qu'elle était inconsciente. Ce mécanisme avait aussi pour conséquence de bloquer tout autre son. On lui avait également fermé les yeux, car quand on est inconscient, on ne cligne plus les yeux et ils se dessèchent. Du sparadrap maintenait donc ses yeux clos, elle ne pouvait plus rien entendre, et était complètement anesthésiée quand l'intervention commença. Une incision avait été pratiquée sur l'artère fémorale droite, mais elle s'est révélée trop étroite, aussi a-t-il fallu refermer et ouvrir l'artère de la jambe gauche. Pam Reynolds dit s'être réveillée hors de son corps pendant cette procédure alors qu'elle entendait un bourdonnement. Étant musicienne, elle a pu identifier la note précise de ce bourdonnement. C'était le son de l'instrument qu'on utilisait pour lui ouvrir le crâne. Elle a parfaitement décrit cet instrument bien qu'il

soit très inhabituel, utilisé pour aucune a ~~~~~~~
vention, et qu'elle n'en avait jamais vu a   *des* ~
En réalité, le chirurgien cardiologue qu
sur cette intervention, Michael Sabom,
même jamais vu d'instrument de ce genre. Elle rapporte également que lorsqu'elle est sortie de son
corps et regardait l'opération, elle a entendu la
femme chirurgien dire : « Ce vaisseau est trop
petit. Il va falloir ouvrir l'autre côté. » Pam Reynolds n'avait pas rencontré ce médecin auparavant
et ne savait même pas qu'il s'agissait d'une femme.
Pendant l'intervention, son attention a été attirée
par une lumière éclatante, elle a traversé un tunnel
et vu des êtres chers décédés. Ensuite, elle a vécu
une EMI classique intense et ces êtres lui ont dit
qu'il fallait qu'elle retourne dans son corps, que
son heure n'était pas venue. Elle est revenue dans
la salle d'opération et a entendu de la musique pro-
venant d'un lecteur de CD. Elle a correctement
identifié le morceau de musique, puis elle a réintégré son corps. La procédure avait pris beaucoup
plus de temps que prévu, l'équipe médicale devait
donc la réchauffer plus rapidement que de coutume. C'était trop demander à son cœur et, par
deux fois, elle a fait un arrêt cardiaque. Deux fois,
un défibrillateur a été utilisé pour la ranimer.

Voilà donc une femme qui durant près d'une
heure n'a plus de battement cardiaque, ne respire
plus, n'a plus d'activité cérébrale, autrement dit
montre tous les critères d'une mort clinique, et
dont le cœur a dû être redémarré à deux reprises.
Selon nos critères habituels, elle était cliniquement
morte. Pourtant, une fois réanimée, elle raconte
avoir vécu une EMI élaborée et démontre avoir eu

perceptions exactes de ce qui s'était passé, perceptions qu'elle n'aurait pu obtenir d'aucune autre manière. Elle n'était pas en mesure de voir ni d'entendre et donna pourtant une description précise de ce qu'elle avait « vu » et « entendu ».

Pour résumer ce que le Dr Greyson est en train de m'exposer, ce cas apporte des éléments indiscutables sur le fait qu'une personne continue de percevoir son environnement, et s'en souvient, alors qu'aucun de ses organes de perception n'est opérationnel et qu'en outre elle est en état de mort clinique. Le Dr Greyson poursuit :

— Nous disposons de beaucoup de cas maintenant de personnes qui disent avoir quitté leur corps et décrivent des événements qu'il leur était impossible de connaître. Nous pouvons faire des chronologies précises en reliant ce qui s'est réellement passé dans la salle d'opération avec les récits rapportés par des patients inconscients au moment de leur expérience. Par exemple, une personne que je connais a été opérée à l'occasion d'une transplantation cardiaque d'urgence. Pendant l'intervention, cet homme dit avoir quitté son corps et l'avoir observé d'en haut. Plus tard il a dessiné un croquis de son cœur, indiquant exactement où se trouvait l'infarctus. Il n'avait aucun moyen de le savoir. Mais le plus surprenant pour lui a été d'observer le chirurgien cardiaque agiter les bras durant l'opération, comme une poule. Il m'a montré comment il faisait et ne comprenait pas pourquoi le chirurgien s'était comporté de la sorte. Une fois remis, il a demandé au chirurgien la raison de son comportement. Le chirurgien, très gêné, lui a demandé : « Qui vous l'a dit ? » Il lui a répondu : « Personne ne me l'a dit, je l'ai vu. Je suis mort, je suis sorti de mon corps et je vous ai vu le faire. » Le chirurgien s'est encore plus énervé et a dit : « Eh bien, puisque vous êtes toujours en vie, j'ai dû faire les choses correctement ! » Étant médecin depuis trente ans et n'ayant jamais entendu dire qu'un chirurgien effectue ce genre de geste, je suis allé lui demander directement. Le chirurgien en question m'a expliqué qu'il avait pris l'habitude de laisser les internes commencer les interventions et arrivait plus tard. Il se lavait les mains et, craignant de les contaminer pendant qu'il surveillait le déroulement de l'intervention, il les plaçait contre sa poitrine. Lorsqu'il voulait indiquer aux internes où il fallait faire les incisions, il se servait de ses coudes. Il était japonais et avait été formé dans son pays. C'est là qu'il avait appris cela. Il m'a avoué n'avoir jamais vu quiconque aux États-Unis procéder ainsi. Voilà un exemple de quelqu'un qui prétend avoir quitté son corps et vu quelque chose, à un moment de l'intervention où nous savons pertinemment qu'il était inconscient – on lui avait déjà ouvert la poitrine ! Comment aurait-il pu savoir que ce chirurgien « faisait la poule » ? Les autres médecins de l'hôpital ignoraient eux-mêmes que leur collègue chirurgien avait cette habitude.

— Quelles sont les théories habituellement avancées pour expliquer ce genre de perception ?

— La plupart des théories sont réductionnistes et matérialistes. On évoque le manque d'oxygène dans le cerveau, les hallucinations provoquées par des médicaments ou encore des mécanismes de défense psychologique face à la menace de mort.

Chacune de ces hypothèses peut éventuellement expliquer une petite partie d'une EMI, mais aucune n'explique comment on peut avoir des perceptions avérées pendant une expérience hors du corps. Aucune n'explique comment on peut recevoir des renseignements exacts de la part de personnes décédées. Aucune n'explique le fait que la personnalité peut être profondément transformée par cette expérience. Nous savons ce qui arrive aux personnes qui ont des hallucinations provoquées par un manque d'oxygène ou par des médicaments, elles ne sont pas transformées comme le sont celles qui ont vécu une EMI ! Et les personnes qui hallucinent ne rapportent pas de perceptions avérées après une expérience de sortie hors du corps. Il y a quelque chose de plus ici. Ces raisonnements matérialistes n'expliquent pas les expériences de mort imminente. Je n'ai pas de meilleure explication et c'est probablement pour cela qu'il est si difficile de faire accepter les EMI dans certains milieux, car nous ne disposons pas d'une théorie valable pour les expliquer. C'est reconnaître les faits que de dire que quelque chose sort du corps, perçoit véritablement, pense et ressent des émotions, indépendamment du corps, mais je ne sais pas de quoi il s'agit. Nous avons des termes religieux pour définir cette expérience, mais pas encore de vocabulaire scientifique.

Route vers l'aéroport. Vol pour New York en soirée. Silence de l'hiver. Tous les médecins, les neurologues, les chercheurs qui se sont penchés sur les EMI en arrivent à la même conclusion : une partie de nous a la possibilité de percevoir, de ressentir,

de se souvenir sans le support matéri
sans que le cerveau soit actif. Quelque
continuer d'*exister* pleinement lorsque
hors d'état de fonctionner. *Conscience.*

Je ne sais pas si je mesure réellem
de tout cela, même si mon être entier l'a pressenti
dans la violence de ce jour d'avril 2001. Oui, plus
j'y repense, plus je réalise que c'était évident dès le
départ, sous mes yeux.

14

De la soie sur ta peau

Ils ne comprennent pas ce qui leur arrive, je le sens...

Il est encore tiède, mais la chaleur se retire lentement du corps de mon jeune frère. Sous le drap, immobile et mort. Je reste seul un moment dans cette pièce de notre maison de Kaboul. C'est une belle maison de pierre, toute en longueur, devant laquelle j'ai fait construire une grande terrasse. Nous avions l'habitude de nous y asseoir tous les trois après le déjeuner, sous le soleil. La maison était entourée d'un vaste jardin dénudé par l'hiver, sur lequel nous projetions de planter des arbres et des fleurs. Thomas avait entrepris d'aménager un potager. Il avait travaillé la terre et délimité un vaste rectangle à l'aide de briques et de pierres.

Il faut que je sois seul quelques instants. Une dernière fois avec mon frère, rassembler mes esprits, décider de la suite à donner aux événements. Assis sur le rebord de la fenêtre, les rideaux tirés, la porte refermée. Seul devant deux corps désarticulés, figés, allongés sur les lits de bois et de corde tressée. Celui sur lequel se trouve mon frère s'imprègne de sang. La peau de ses chevilles est blanche. Du sang partout, ses mains éraflées, ses doigts qui deviennent durs... C'est absurde, si inattendu. Quelques heures auront suffi pour changer le monde. Ce matin au réveil, l'aube était comme toutes les aubes précédentes, emplie de projets, d'envies, d'idées. Puis la mort qui éclabousse. Et tout, absolument tout, devient différent. J'avance ma main et la pose sur la peau de sa jambe, je touche mon frère ; je touche autre chose.

J'ai besoin d'un peu de calme, que le tourbillon s'apaise l'espace de quelques heures. Notre ami Antoine, que Natacha est allée prévenir, arrive en milieu de matinée. Il dînait avec nous à la maison la veille au soir. C'est la veille également que Thomas et Sylvain ont trouvé un scorpion dans cette même pièce où il repose maintenant. Jusqu'à son départ deux jours auparavant, elle servait de chambre à notre frère Simon qui, lui, est en route vers Paris, ignorant ce qui vient de se produire. Thomas a attrapé le scorpion dans un bol, l'a regardé longtemps avant de le jeter par-dessus notre mur d'enceinte. Simon apprendra la nouvelle demain après-midi en arrivant à Roissy où papa et maman l'attendent.

Natacha a raconté l'essentiel à Antoine. C'est un ami très proche, présent depuis longtemps en Afghanistan à la tête d'une importante ONG, et il est là ce matin, offrant son aide. Il apparaît très rapidement que les corps doivent être évacués aujourd'hui vers le Pakistan, car se pose le problème de leur préservation. Pas de frigo à Kaboul.

Si l'on attend trop, leur transport va devenir complexe. Nous sommes jeudi, vendredi est férié en Afghanistan, il nous faut quitter le pays dans la journée. Antoine, qui a déjà fait le point avec Éliane, la responsable des Nations unies – seule structure en mesure de gérer les urgences de ce type, aucune ambassade occidentale n'étant, à l'époque, opérationnelle à Kaboul – me présente les options possibles. Je dois décider de notre départ imminent. C'est trop soudain, je ne peux pas partir comme ça, il me faut un peu de temps, une accalmie, mais la situation m'impose de faire des choix, et très vite, et je viens d'apprendre la nouvelle à deux familles. Ma gorge est sèche, mes mots sortent avec peine. Antoine et moi sommes à l'extérieur, dans la cour ; je reste paradoxalement très lucide.

— Oui, tu as raison, c'est évident, il faut partir, lui dis-je.

La décision est prise. Je lui demande de coordonner la partie logistique, faire venir l'avion de l'ONU à Kaboul, trouver les sacs de sécurité pour le transport. Moi, je dois préparer le départ, fermer la mission avec tout ce que cela implique pour notre personnel afghan, et surtout rester avec les corps. Rester avec mon frère. *Thomas, tu es mort... Thomas, Vadim, vous êtes morts, je vais m'occuper de vous...*

On fait venir deux médecins pour constater le décès, et apprêter un peu les corps. À la mi-journée, c'est une ambulance du CICR qui pénètre dans notre cour. Nous plaçons Thomas et Vadim dans de grands sacs de transport blancs munis de poignées. C'est lourd, un corps sans vie, un corps désarticulé, complètement abandonné et qu'il faut glisser dans cette enveloppe. Puis ils sont chargés dans le véhicule et nous quittons la maison. Et tout va très vite. Le bimoteur s'arrache au tarmac de l'aéroport de Kaboul en milieu d'après-midi. Thomas est allongé dans son sac à ma droite, posé sur le sol de la cabine. Vadim est derrière mon siège. Rester près d'eux, jusqu'à Paris. Je tiens la main de Natacha assise devant moi, Sylvain s'est installé plus en avant. Aucun de nous ne parle, tous les trois nous refermons sur notre stupeur, l'heure de vol nous offrant un premier répit. L'appareil survole un pays de toute beauté, et se dirige vers l'est.

Il ne pleut pas encore alors que nous amorçons notre descente sur Islamabad. Mais l'orage est là. Le consul de France nous attend, ainsi que le jeune médecin de l'ambassade. Nous transférons les corps dans une ambulance puis partons en convoi vers le Pakistan Institute of Medical Sciences qui dispose de chambres froides. Un terrible orage éclate enfin. La pluie est chaude, fureur d'un ciel instable. Dans l'enceinte de l'hôpital, notre convoi se range devant un bâtiment situé un peu à l'écart. Nous sortons les sacs. Le consul tient à identifier les corps. D'un geste nerveux, en proie à l'émotion, il bataille pour ouvrir le premier, il est gêné, je l'aide, et découvre le visage de Vadim. Avant d'écarter le rideau mauve qui recouvre mon frère, je le préviens que Thomas a une blessure importante à la tête. Tenant les passeports, il compare tour à tour les photos avec les visages sans vie. Je tiens les mains de mon frère quelques instants. Elles sont froides. Une fois les formalités accomplies, nous repartons vers l'ambassade. Devant mes yeux, les tiroirs de métal sont glissés dans la chambre froide. La porte se referme sur eux. *Je sens qu'ils sont perdus…*

Nous rejoignons l'ambassade, la nuit est tombée, nous sommes hébergés chez un ami diplomate. Le lendemain, la sensation se manifeste par moments, légère, discrète, mais intrigante : *Thomas et Vadim ne comprennent pas ce qui se passe.* Samedi, à nouveau la même impression revient. *Je dois leur parler.* Ils ont besoin qu'on leur explique, qu'on les guide. J'ai peine à comprendre ce ressenti, ce n'est pas la conséquence d'une croyance antérieure, mais quelque chose de nouveau. Que faire ? Dois-je y accorder de l'attention ou la mettre sur le compte du choc que je viens de subir ? Besoin de retourner à l'hôpital, d'ouvrir la chambre froide, de retirer le voile, de mettre ma main sur son corps, de m'adresser une nouvelle fois à mon frère. Mais est-ce vraiment *lui* qui a besoin de ça, ou moi ? La réponse n'est pas évidente. Comment savoir ? Des scellés ont été posés par le consul sur la porte de la chambre froide, je lui demande malgré tout s'il serait possible de retourner à l'hôpital, mais quelle raison invoquer ? « Monsieur le consul, je sens que mon frère est perdu et qu'il faut que je lui parle ! » Non. Je prétexte une envie de me recueillir à nouveau devant les corps. Mais cette raison-là justifie-t-elle le dérangement du personnel de l'hôpital en plein week-end, de rompre les scellés ? Lui comme moi sommes embarrassés, il me suggère d'attendre lundi, nous allons de toute façon les mettre en bière dans les jours qui viennent, dès que les cercueils spéciaux seront arrivés de France. Que faire quand des éléments de notre vie sortent à ce point de l'ordinaire ?

Il me vient une idée, après tout pourquoi pas ? Thomas se sentait proche du bouddhisme et, de mon côté, je suis souvent allé en reportage à Dharamsala, dans la communauté tibétaine en exil. Lors de mon dernier voyage, l'année précédente, j'ai réalisé un petit film pour Arte sur un jeune moine tout juste échappé du Tibet, le dix-septième karmapa. Âgé de quatorze ans à l'époque, ce jeune homme au charisme certain est l'un des plus hauts dignitaires du bouddhisme tibétain, parfois présenté comme le successeur du dalaï-lama. J'ai encore dans mon agenda le nom de son secrétaire particulier qui avait organisé nos entretiens. Je compose le numéro de l'imposant monastère où réside le karmapa dans la vallée de Dharamsala et, à ma grande stupeur, c'est le secrétaire particulier qui décroche. Je ne suis jamais tombé directement sur lui.

— Lama Punshok, vous êtes lama Punshok ?

— Oui...

Je me présente, lui rappelle ma venue en Inde un an auparavant. Je donne plusieurs détails sur les différents entretiens que nous avons eus avec le karmapa, dans l'espoir qu'il se souvienne de moi. Ce qui semble être le cas.

— Oui, je me rappelle, que puis-je pour vous ?

— Je suis actuellement au Pakistan, mon frère est mort ce matin, ainsi qu'un autre ami, dans un accident de voiture en Afghanistan. Je sens qu'ils ont besoin d'aide. Je ne sais pas trop pourquoi je vous appelle, mais j'ai pensé que le karmapa pourrait peut-être faire quelque chose...

Ma demande est maladroite. Je n'ai pas la moindre idée de ce qu'il convient de faire. Mais le matin de l'accident, devant le corps étendu de mon frère, m'adresser à lui semblait d'une telle évidence que je veux suivre cette intuition. Je détaille les circonstances de l'accident.

— Comment s'appellent les personnes décédées ?

Je lui épelle les deux noms, mentionne les Afghans également. Il me demande de répéter pour être bien certain de l'orthographe. Puis ajoute :

— Sa Sainteté va en être informée.

— Merci, je sens qu'ils ont besoin d'être guidés...

— Nous allons nous en occuper, je vais informer Sa Sainteté...

Je le remercie une nouvelle fois, puis nous raccrochons. Je regarde ma femme, elle me sourit. Je m'assois, encore surpris d'avoir eu immédiatement la bonne personne au bout du fil. Je n'ai pas demandé ce qui allait être fait. Je n'y ai pas pensé. Dès le lendemain, la confusion que je percevais autour de Thomas et de Vadim s'est estompée. Ce coup de téléphone a-t-il calmé le tumulte *en moi* ?

Nous allons passer plusieurs jours à Islamabad avant de pouvoir rapatrier les corps sur Paris. Une grève des pilotes de la PIA, la compagnie nationale pakistanaise, retarde l'acheminement des cercueils spéciaux qui nous sont envoyés depuis Paris. Il s'agit de cercueils qui pourront être hermétiquement fermés une fois les corps placés à l'intérieur, ce afin de permettre leur transport dans les conditions sanitaires et légales requises. Six jours d'attente. Puis la situation se débloque, les cercueils arrivent, et je vais laver le corps de mon frère.

Retour à la morgue, mardi 17 avril. Sont présents le consul, le médecin, plusieurs personnes que je ne connais pas, ainsi qu'un officier de police judiciaire français travaillant à l'ambassade. Il y a aussi Guillaume, le cousin de Vadim, qui travaillait également dans l'humanitaire en Afghanistan et qui nous a rejoints à Islamabad dès qu'il a su. Natacha est là. J'appréhende. Je veux laver le sang que Thomas a sur les mains et les bras, peut-être aussi le visage. Simon, mon autre frère, aurait aimé s'en occuper avec moi. Il est avec nos parents, en France, je lui parle au téléphone, ainsi qu'à maman, puis je pénètre dans le bâtiment abritant les chambres froides. À cet instant je me sens habité d'une responsabilité considérable. Sortir Thomas, prendre une dernière fois soin de lui. Même à distance, ma famille est à mes côtés.

Il y a de cela quelques semaines, Thomas a dit à Simon qu'il était persuadé qu'une fois qu'il aurait trente ans les choses iraient mieux pour lui, que tout allait s'éclaircir, qu'il commencerait sa vraie vie. Il est mort le vingt et unième jour de ses trente ans, le Jeudi saint, juste avant Pâques. Et je vais laver son corps. C'est à moi de le faire. Pourtant, je suis gêné à l'idée de devoir lui ôter ses vêtements. Je suis gêné de voir mon frère nu.

Nous sortons Vadim d'abord. Avec l'aide de Guillaume et de Natacha, nous le préparons, l'habillons, avec émotion et délicatesse, puis le mettons dans son cercueil, que le consul scelle.

Puis c'est au tour de Thomas. Une pièce aux murs ternes, une longue table en inox au fond très légèrement incliné vers un trou d'écoulement central, un évier à l'extrémité, un tuyau en guise de robinet. Je décide que cet endroit sera sacré. Il faut nous y mettre à plusieurs pour transporter le lourd sac blanc, une masse rigide et compacte, et en extraire mon frère, emmitouflé de vêtements froissés, de tissus ensanglantés et de terre. J'ai informé le consul que je m'occuperais seul de ce corps. Tous se tiennent en retrait avec respect, et m'observent. Seule ma femme va m'aider.

Le corps est gelé, complètement rigide. Je suis obligé de découper ses vêtements. J'ôte sa polaire rouge, ses chaussures, découpe son pantalon, son tee-shirt, j'enlève tout à l'exception des bandages tachés de sang sur son visage. Voilà son corps nu, musclé. Le dos et les fesses sont curieusement aplatis, affaissés et gelés. Son torse paraît tellement vigoureux. Seul son ventre reste souple, se creuse sous mes doigts. Avec le tuyau, je fais couler l'eau sur sa peau, sur le buste, surtout le haut, ses avant-bras, ses mains écorchées. L'eau froide se teinte de rouge. De ma main libre je nettoie ses plaies, quelques écorchures, du sang séché dans le nombril, un peu de poussière, de terre. Sa peau redevient lisse et blanche. Mes doigts passent sur son thorax, sous la glace je sens le volume de ses muscles, sa force, sa puissance évanouie. Sur sa main droite j'enlève beaucoup de sang. Avec Natacha, nous le redressons sur le côté et je lave son dos.

116

Je ne sais que faire pour la tête. Elle semble petite par rapport à son corps. Couverte de bandes ensanglantées. En sueur, tremblant et hésitant, j'entreprends de défaire délicatement les bandages. Les nœuds sont gelés, aussi je tire légèrement pour apercevoir sa bouche, sa lèvre inférieure. Je décide de découper les bandes et de tout enlever. Son visage n'est pas reconnaissable. Son crâne est cassé et, au milieu du front, il y a une pointe saillante. Toute mon attention se porte dessus : ne pas me piquer sur cette pointe d'os. Une pointe de son crâne. Tête fracassée. Je recouvre ce visage de prières.

Le temps ne s'écoule plus normalement dans cette pièce. L'instant est sanctifié. *Je suis aidé.* Sous mes doigts son corps est bientôt propre et essuyé. Je place sur Thomas divers objets qui lui étaient chers, sur son plexus, sur sa tête. Puis, aidé de Natacha, j'enveloppe mon frère de soie blanche, un grand linceul de soie sauvage que je noue au moyen de bandelettes de tissu rouge. Je le regarde un bref instant, sur cette table de métal, immobile, alors que je suis traversé d'une fièvre intense. Et l'on m'aide à le poser dans ce cercueil qui attend telle une bouche béante. Un premier couvercle est hermétiquement fermé, puis on visse le second en bois, et le flic appose les scellés légaux. Je les juge bien fragiles, comment saurais-je qu'il s'agit bien du cercueil de mon frère s'ils venaient à être arrachés durant le transport ? À l'aide d'un objet métallique je grave profondément un T sur le couvercle. Et je sors appeler ma famille, leur dire que c'est terminé. Je ramène chacune de ses affaires, toutes imprégnées de son sang, les bandages qui recouvraient sa tête, les rideaux qui l'enveloppaient, et nous brûlerons demain tout cela ensemble. L'odeur de la morgue, de la mort, me colle aux vêtements.

Tard dans la nuit, nous rentrons à Paris. À l'aide du flic de l'ambassade qui m'a obtenu un sauf-conduit auprès de ses collègues pakistanais, je peux accéder au tarmac et monter moi-même les cercueils dans la soute pressurisée de l'appareil. Je veux m'occuper de ça, c'est non négociable, j'ai la charge de ces hommes. Être tout le temps avec les cercueils. Les employés du fret posent l'un après l'autre les cercueils sur un tapis roulant qui les monte lentement vers moi. Je tire les lourdes caisses à l'intérieur de la soute qui sent la merde d'oiseaux. Elle est remplie pour moitié de cages de perruches vertes. Des centaines de perruches vertes qui piaillent d'excitation. Les cercueils sont attachés. Ils seront accompagnés par des oiseaux. Puis je rejoins la passerelle d'embarquement, vide, seul, et j'attends l'arrivée des premiers passagers, de ma femme et de Sylvain.

Je me tiens debout dans l'air tiède d'Islamabad, au cœur d'une nuit particulière. Plusieurs des appareils des Nations unies, dont celui avec lequel nous sommes revenus tous les cinq jeudi dernier, sous l'orage, sont parqués à deux cents mètres de là. Cette nuit encore, un orage est en passe d'éclater, il recouvre le pays de gigantesques et puissants nuages sombres. Un orage sec, violent, électrique, sans pluie. Je reste un long moment à l'extérieur sur la passerelle, près de la porte de l'appareil, le personnel navigant n'ose me déranger. À nouveau la douleur m'étreint, j'ai le cœur trop rempli, le plexus serré. Les voilà, Natacha, mon amour, Sylvain. Les passagers embarquent et défilent devant moi, taches de couleur, masse indistincte.

Je ne me résous pas à rentrer, je veux attendre le dernier instant, respirer mes dernières bouffées d'air de ce pays, ne pas rompre cet adieu, ne pas stopper cette peine qui veut s'exprimer. Et je reste là, mes larmes ne sortent pas. Je pleure mais sans qu'aucune larme ne coule sur mes joues. Une immense fatigue me recouvre, impossible à satisfaire, épuisement d'une semaine, d'une si étrange journée. La journée où j'ai lavé le corps glacé de mon frère. La journée où j'ai enveloppé mon frère dans de la soie sauvage blanche. La journée où je l'ai vu pour la dernière fois. La journée où j'ai lavé ses mains écorchées.

Je ne me rappellerai pas du visage que j'ai nettoyé aujourd'hui. Je me souviendrai de celui qui paraissait paisible, de loin, allongé dans la terre d'Afghanistan. Je me souviendrai de mon frère étendu, attendant son grand frère avec confiance, quelques minutes après avoir été tué.

Les corps froids et propres de Vadim et Thomas sont avec nous, derrière, voyageant avec des oiseaux. Dans quelques heures nous serons à Paris, dans quelques heures je ramènerai le corps de leur fils à mes parents, et celui de Vadim aux siens.

Et c'est absolument insoutenable.

Le lendemain nous sommes chez mes parents, à la campagne. Simon, Natacha, Sylvain et moi posons le cercueil dans l'atelier de ma mère. Un peu plus tard, alors qu'il se trouve seul dans le salon, je m'approche de mon père, je plonge mes yeux dans les siens, cette question me déchire depuis une semaine.

— Papa, est-ce que tu m'en veux ?

Il me regarde, ébahi. Maman s'approche.

— Qu'est-ce que tu demandes ?

— Est-ce que vous m'en voulez ?

Même surprise. Je ne parviens plus à retenir mes sanglots. Tous les deux viennent contre moi et me prennent dans leurs bras.

— Mais pas une seule seconde, Stéphane, comment peux-tu penser une chose pareille... comment peux-tu imaginer ça...

Mes parents me sauvent la vie.

15

Signes

Poursuivre son existence. Vivre, des jours, des mois, des années avec ça. Avec une absence au quotidien. Un frère qui peuple mes souvenirs, mes rêves, mais qui au matin n'est plus là.

Un mois après l'enterrement, nous repartons en famille vers l'Afghanistan. Une dernière visite à cette terre, un adieu pour moi, je le sens, mais sans amertume car j'ai l'intuition qu'une page se tourne, que la vie va me porter vers d'autres frontières. En revanche la douleur est là à nouveau, intacte, intense. Dans les mains de mes parents qui se tiennent alors que nous décollons de Peshawar en direction de Kaboul. Un sursaut, un hoquet de souffrance qui manque sortir de mon ventre. Ou ce matin de la fin mai, lorsque nous nous rendons tous les quatre sur le lieu de l'accident.

J'ai envie d'être seul. C'est une épreuve. Je me contiens. Chaque muscle de mon corps est contracté pour ne rien laisser paraître, mes mâchoires se serrent afin qu'aucun cri ne sorte, mon esprit s'enferme pour qu'aucune larme ne coule. Je veux paraître fort, je veux qu'ils puissent s'appuyer sur moi. Dans la voiture que conduit Farad, je suis assis à gauche, contre ma mère, mon père est à droite et Simon dans la benne, à l'extérieur.

Nous dépassons bientôt la station essence où nous avons fait le plein, le dernier endroit où j'ai parlé avec Vadim et Thomas. Le soleil ocre et rasant de l'aube éclairait leurs visages d'or, nous avons souri, plaisanté quelques minutes, puis nous sommes repartis. Voilà bientôt le check-point de Maydan Shahr. On le dépasse, on roule encore, et l'on arrive. Farad se gare sur la droite, un peu au-dessus du lieu de l'accident. Je laisse Simon et nos parents découvrir la scène et descends m'isoler un peu plus bas sur la route, à l'endroit même où Natacha, Sylvain et moi, ce matin-là, nous avons compris. J'ai besoin d'un long moment avant de rejoindre mes parents.

À l'endroit où se trouvait le corps de Thomas, la terre est encore croûtée de son sang séché. Simon et maman construisent un petit cairn et y déposent quelques objets. Alors que je suis encore loin d'eux, deux papillons apparaissent subitement et viennent s'y poser.

Maman porte un dernier regard sur le sol, puis remonte sur la route, ouvre la portière de la voiture et s'effondre sur la banquette arrière. Je pense un instant qu'elle se trouve mal. Je m'approche, regarde à l'intérieur, elle est étendue de tout son long, la tête entre les mains, et pleure. Son fils est mort. Cet instant est l'un des plus difficiles de ma vie. Début juin nous quittons définitivement l'Afghanistan.

Dans les mois, les années qui suivent se déroule en moi un affrontement, un combat incessant entre la sensation apaisante et indicible que Thomas ne s'est pas beaucoup éloigné, qu'il « vit » encore quelque part, et mon insatiable besoin de certitudes, de preuves, de vérité. Au cœur de cette bataille, la souffrance. Je veux des signes et que ces signes soient concrets, qu'ils ne me laissent aucun doute, qu'ils soient manifestes et indiscutables.

Mon intuition a commencé à se trouver renforcée lorsque je me suis plongé dans les études scientifiques et médicales réalisées sur les EMI. Je rencontre ces médecins, ces neurologues qui reconnaissent ignorer comment la conscience apparaît, et démontrent par ailleurs que cette conscience est en mesure de percevoir, d'observer, de mémoriser des expériences alors que son prétendu support matériel, le cerveau, a cessé de fonctionner. C'est non seulement possible mais avéré. Il devient alors envisageable de penser avec raison que Thomas n'a pas disparu dans le néant. Pas absurde d'imaginer qu'il a survécu à sa mort. Cette idée se renforce au fil de mes rencontres et de mes découvertes, mais il me faut aller plus loin. S'il est encore vivant, il doit être possible... de lui parler.

Le temps a atténué la douleur, mon travail personnel, mes séances avec David Servan-Schreiber ont résorbé plusieurs nœuds émotionnels. L'amour et l'attention de ma femme, le spectacle merveilleux de ma fille devenant une jeune fille avec force et sensibilité, celui de son demi-frère avançant vers l'âge d'homme, tout cela m'apporte une aide considérable, insufflant une énergie de vie à mon existence : de l'espérance. Cela permet à ma recherche, à mes questionnements de rester dans la réalité, dans l'équilibre. Mais cela n'enlève pas mon désir de certitudes. Je suis simplement plus serein pour poser ces questions, plus objectif, habité d'un désir de rigueur afin que les réponses que je découvrirai puissent être partagées avec le plus grand nombre – à commencer par mon père. Qu'elles sortent du registre de l'impression.

Et puis me revient une anecdote en mémoire, une étrange discussion que j'ai eue avec une amie, Lucie, au début de l'été 2000, quelques jours après le décès accidentel de son compagnon, mon ami le producteur et explorateur Denis van Berleere.

Alors qu'il rentre chez lui au volant de sa voiture, Denis heurte un camion. Il est tué dans l'accident. Lucie et Denis étaient éperdument amoureux, ils offraient le spectacle d'un couple extraordinaire, une complicité rare, un amour évident, et allaient bientôt s'installer sous le même toit. Denis venait de dépasser la quarantaine et envisageait cette nouvelle vie avec beaucoup d'excitation. Lucie avait mis sa maison en vente. Elle y est restée ce soir-là, devant se lever très tôt le lendemain matin. Elle a aussi laissé son portable allumé malgré l'heure tardive : Denis va téléphoner dès qu'il sera arrivé. Ce sont les pompiers qui appellent. Dans les jours qui suivent l'accident, Lucie ne peut se résoudre à dormir dans la maison de Denis. Ce lit défait, son odeur dans les draps… tout cela est trop violent, trop soudain, tellement impensable.

Lorsque, épuisée, submergée de douleur, elle revient finalement dans cette maison, accompagnée d'amis, elle décide d'y rester pour la nuit. Ses amis repartent et elle se retrouve bientôt seule. Elle va dans leur chambre et, les épaules enroulées dans un vêtement de son homme, elle se laisse glisser sur le lit. Lucie s'allonge et quelque chose en elle lâche prise ; s'abandonnant, elle ferme les yeux. Soudain, elle *sent* Denis la rejoindre. Il est là, contre elle, elle en est persuadée. Une pression, comme celle d'un corps, creuse le matelas à côté d'elle. L'expérience est si intense que Lucie est submergée par l'émotion.

— Denis est venu pour me réconforter. Il a senti que je n'en pouvais plus… et il est venu me dire qu'il serait là !

Lucie me raconte cette expérience le lendemain soir. Elle est très embarrassée parce qu'elle ne sait pas du tout à qui en parler, et elle a besoin d'en parler. Ses yeux guettent mes réactions, aussi je la rassure, je n'ai pas vraiment d'idée sur ce qui a pu se produire, juste la certitude que Lucie est parfaitement saine d'esprit. Les mots me manquent. Je sens au fond de moi qu'il s'est bien passé *quelque chose* la nuit précédente, pour elle. Je connais Lucie, et c'est précisément parce qu'elle a les pieds sur terre qu'elle est à ce point secouée par cette « visite ». Dans son monde, ce qui vient de se produire est impossible. Mais cette expérience l'a profondément marquée.

Il m'est aujourd'hui possible de concevoir que Denis, comme mon frère Thomas ou Vadim,

continuent de « vivre ». Est-ce que ce sont « eux »
qui se manifestent dans ces occasions ? Comment
savoir ?

Comment décider de la réalité d'une telle expérience ? À Islamabad, au lendemain de la mort de
Thomas, j'ai eu cette sensation de confusion que
j'imaginais provenir d'eux. Elle était tangible, et
j'ai alors fait le choix de l'accepter. Dans les
semaines et les années qui ont suivi, j'ai observé à
plusieurs reprises d'étranges coïncidences, mais
ces « signes » restent des épisodes furtifs dont je ne
suis même pas certain qu'ils se soient réellement
produits. Ils n'ont pas à mes yeux suffisamment de
force objective. Je peux être troublé par une intuition, un ressenti, une coïncidence, mais aucun n'a
pour moi la force de ce que Lucie a vécu. Il m'en
faut plus, j'en veux plus.

J'ai un jour une discussion à ce sujet avec mon
frère Simon, et je suis impressionné par la manière
dont lui me dit accueillir avec simplicité ce qui lui
est envoyé.

— À un moment j'étais assis sur la terrasse de la
maison, tout seul, je devais boire un verre et je parlais à Thomas : « Bon, Thomas, t'es gentil, tu nous
as cassé les couilles toute ta vie en nous disant :
"Ouais, quand je mourrai, je viendrai te voir", alors
fais-moi un signe ! Dis-moi que tout va bien. Vas-y,
apparais ! Maintenant t'es mort, fais ce que t'avais
envie qu'on fasse pour toi. » J'attends et là, tout de
suite, les nuages s'écartent et le soleil m'éblouit. Ça
m'a fait un choc, je t'assure. Pareil, je sais plus si
c'est ce jour-là ou un autre, je l'appelle, en pleurs et
en colère : « Vas-y, Thomas, manifeste-toi ! » et un

oiseau arrive, se pose à vraiment cinquante centimètres de moi, il fait piou-piou et il se barre. Ça m'a fait une caresse, ça m'a apaisé. Très rapidement après sa mort, j'ai senti à travers ces manifestations que Thomas n'était pas loin, qu'il était là, et j'ai compris que les morts ne se trouvaient pas au ciel, au paradis, mais *entre nous*. Ils étaient là, quoi. Du coup, je parlais constamment à Thomas. Un jour, je suis revenu de Paris en bagnole. Au volant, j'étais en pleurs, en colère, bouleversé, et soudain j'ai senti que la tête de Thomas était devant moi. Son regard, son attention, tout son être était devant moi et j'ai eu l'impression que son âme rentrait en moi. J'ai vraiment senti qu'il entrait en moi comme dans un costume. Je l'ai senti prendre place dans ma peau. Pendant plusieurs années qui ont suivi, j'ai eu l'impression que Thomas habitait quelque part dans mon esprit. À la fois pour continuer à vivre, et aussi un peu comme un marionnettiste, même si j'étais pas qu'une marionnette. Il m'aidait à me déplacer, à vivre. J'allais pas bien à cette époque et c'est comme s'il s'était dit : « Bon, attends, file-moi les commandes du vaisseau spatial, je vais m'en occuper un peu. Tu vas voir, ça va bien se passer. » Et j'ai vraiment eu l'impression pendant longtemps – aujourd'hui je sais pas – qu'il était avec moi, tout à côté de moi, à guider mes gestes. Quand mon bras allait dans une mauvaise direction, il corrigeait. Je me suis senti accompagné et ça me suffisait. Ça m'a plu, c'était un état agréable, je me sentais en confiance.

— Ce sont davantage des choses que tu as transformées en signes pour te faire du bien, non ? Tu vois ce que je veux dire ? Ça vient pas forcément de lui ?

— J'en sais rien. Je m'en fous, en fait. C'est pas ça l'important. Tous ces signes, le mécanisme que ça a mis en place en moi, m'ont vraiment permis d'évoluer, de me libérer. Et moi, ça me suffit. Je préfère un bon poème à une belle analyse parce que je suis persuadé qu'il y a plein de mystères sur terre et que c'est ce qui fait la richesse de la vie. Je suis pas spécialement partisan de l'explication rationnelle. Pourquoi ? Ça sert à quoi ? Ces signes, ces impressions me permettent d'être bien dans ma peau et d'être heureux. De vivre dans l'harmonie, et ça me suffit. Je vis un amour extraordinaire avec ma femme, je viens d'être papa. On vit pas longtemps sur Terre, si je mourais aujourd'hui, je pourrais dire que je mourrais heureux, libre. Alors j'ai pas besoin d'en savoir plus, ça me va.

— T'as peur de la mort ?

— Non... J'ai peur de la mort des autres.

— Tu as eu beaucoup de signes de Thomas ? Tu fais des rêves de lui aussi ?

— Ouais, et c'est dingue parce que pendant trois ans j'ai fait toujours le même rêve. Par exemple on était chez les parents, Thomas était à table et je lui disais : « Mais attends, t'es mort, qu'est-ce que tu fous là ? » et Thomas disait : « Mais non, je suis pas mort ! » Je savais à la fois qu'il était mort et qu'il n'était pas mort. C'était très bizarre et je me réveillais en me demandant : « Mais qu'est-ce qui se passe ? Oui, il est mort ! » Mais dans mes rêves, c'était toujours le même. Il était là en face de moi, je lui disais : « T'es mort ? » et Thomas répondait : « Non, non, je ne suis pas mort, regarde, je suis là !

— Et l'accident ? Et l'Afghanistan ? » Ce rêve qui se répétait allait dans le sens général de ma pensée, de mes impressions : il est mort physiquement mais il est encore bien vivant autour de moi, il est là, quoi. Et je me réveillais en pensant : « C'est quoi, ce délire ? » Mais au-delà des rêves, il y a eu le soleil, les oiseaux, les papillons : quand on est retournés sur l'endroit de l'accident, on s'est recueillis avec maman, on a mis quelques pierres, et là, deux petits papillons sont venus se poser dessus ! Un papillon, c'est léger, c'est magnifique, c'est comme un mandala de sable. C'est délicat, c'est fragile, c'est vivant, c'est beau. Il y avait des obus partout à cet endroit-là, c'était vraiment un lieu de guerre, et ces deux papillons sont arrivés, symboles pour moi de la vie, de la légèreté. Je me suis dit : « C'est Thomas et Vadim ! » Et je les ai revus, ces papillons, ces deux mêmes papillons, trois ans plus tard : en Chine, je grimpe un glacier, je me casse la gueule, je suis blessé, épuisé, à cinq mille mètres d'altitude ; c'est un moment superintense, je n'irai pas au-delà, je construis un petit cairn en pensant à tous les gens que j'aime, et je vois arriver deux papillons identiques à ceux de Kaboul ! À cinq mille mètres d'altitude !

— Oui, je me souviens…

— Je parle souvent à Thomas, je lui demande de l'aide et quasiment tout le temps ça se réalise. Ma vie entière est pleine de signes…

— Parce que tu les vois ! Je me souviens que papa m'a raconté en avoir eu aussi, sans être sûr, sans vouloir vraiment y croire, il m'a dit : « Je ne sais pas mais je pense que ce sont des décisions conscientes. Il y avait un oiseau à Kaboul, dans le jardin, un oiseau extraordinaire. Est-ce que c'était un signe ? J'ai peur qu'on affabule. Une autre fois, près de Toulon, avec ta mère on a cherché le monastère que mon père avait construit en tant qu'architecte. Quand j'étais gamin, il se trouvait absolument en pleine campagne et, lorsqu'on l'a retrouvé, il était en pleine ville. Mais la montagne du Pharon et le monastère lui-même étaient tels que je les avais connus à sept ans. J'étais un peu ému. Un oiseau, un gros oiseau s'est posé juste au sommet du monastère. Et je me suis dit : "C'est un signe ou c'est pas un signe ? Est-ce un clin d'œil ou rien ?" Et moi, Simon, je suis un peu comme papa, parfois je suis ému par des coïncidences qui ont l'air de ne pas en être, mais ça ne suffit pas, il me manque quelque chose... je ne sais pas quoi d'ailleurs.

— Papa, il est tellement érudit, il s'est fabriqué une telle montagne de connaissances, que je pense qu'il perçoit la mort comme une disparition, le néant. Et il a peur du néant, de l'inconnu, parce qu'il est tellement dans le connu et dans la connaissance que face à quelque chose d'inconnu comme la mort, il n'est pas préparé. Il a accès à un monde de connaissances gigantesque, une très belle bibliothèque qu'il connaît par cœur. Et il s'y délecte. Mais la mort, il sait pas, il connaît pas, il en a peur parce qu'il n'y a rien là-dessus dans sa bibliothèque. Ou plutôt il y a trop de choses, alors il lit tout et son contraire. Du coup, rien ne se dégage et c'est désespérant.

Simon a raison, notre père d'ailleurs est le premier à le reconnaître. « Quand l'un dit blanc, l'autre dit noir, tous deux sont aussi honorables l'un

que l'autre. Et comme il y a autant d'o[...]
d'individus, finalement à quoi bon co[...]
torturer l'esprit ? » Effectivement, à qu[...]

Mais les scientifiques que je rencont[...]
ils pas de nouveaux éléments, et non de[...]
à ce débat vieux comme le monde ? Fort de tout ce
que le dossier des EMI et des recherches sur la
conscience m'a permis d'entrevoir, je vois bien
qu'il est possible d'aller plus loin. La conscience
qui pourrait fonctionner en dehors d'une activité
cérébrale, un cerveau qui ne génère pas nécessairement la conscience mais pourrait la *capter* ! La
capter d'où ? Et si rien ne disparaît, où va-t-on
après ? Si l'on survit vraiment à la mort, si Denis
est vraiment venu voir Lucie, si les dizaines de milliers de témoignages similaires à travers le monde
sont vrais, alors il doit m'être possible d'établir le
contact avec Thomas…

Des gens prétendent qu'il est possible de parler à
des personnes défuntes et de recevoir des messages
de leur part, ils affirment même être en mesure
d'établir cette communication sur commande.
Aussi inconcevable qu'elle puisse paraître, je ne
peux concevoir de laisser une telle question en sus-
pens. Souvent, la paresse mais surtout la crainte, la
peur nous y incitent. On passe notre vie à bâtir des
certitudes afin de se mettre à l'abri le plus tôt possible. Il est rassurant de se dire que l'on sait tout.
Que rien ne viendra ébranler notre citadelle. Peur
de changer. Peur de vivre. Mais à l'abri de quoi ?
Car lorsque survient un « accident », la muraille se
lézarde, la carapace se fendille, laissant à nu l'enfant merveilleux et immense qui vit au fond de

‿un de nous. Alors une occasion de grandir se ‿ésente.

La tête froide, troublé au plus profond de mon être par le début de mon enquête, je décide d'aller rencontrer des médiums et d'établir un protocole d'étude avec ceux qui accepteraient de jouer le jeu. J'ai besoin de volontaires. J'en parle à mon père.

— Tu voudrais te prêter à une expérience comme ça ?

— Oui, à la rigueur, oui.

— Mais tu en aurais vraiment envie ?

— Pas trop.

— Pourquoi ?

— J'ai un peu peur... de l'inconnu, de la dérive dans le bizarre. Je ne sais pas... Jusqu'au grand âge où je suis parvenu, j'ai vécu de façon fragile et autour de moi j'ai mis une armure. Et je n'aime pas tellement qu'il y ait une fissure à mon armure.

— C'est peut-être pour ça que tu ne sais pas si l'oiseau sur le monastère de ton père est un signe ou pas...

— Peut-être, oui.

— Parce que l'armure, elle te protège, mais elle t'isole aussi.

— Oui...

16

Le médium

Une rue du 13e arrondissement de Paris, une petite rue en pente à deux pas de l'endroit où j'ai habité moi-même quelques années auparavant. Un jour de novembre, j'ai rendez-vous avec un des médiums les plus réputés de Paris, Henry Vignaud.

Je pénètre dans un appartement sombre, les rideaux sont tirés, besoin d'obscurité. Un double salon assez dépouillé. Un petit bureau dans un coin, une chaise, je m'assois. L'homme qui m'accueille prend place derrière la table, face à moi. La quarantaine, souriant, les cheveux noirs, longs et ramenés en arrière, Henry Vignaud me demande pourquoi je suis venu. Le rendez-vous a été pris avec son secrétariat plusieurs semaines auparavant. Je réponds vouloir entrer en contact avec la personne qui se trouve sur la photo que je sors de ma poche et que je lui tends. Il ignore qui je suis, qui est la personne sur la photo, les liens éventuels qui nous unissent, etc. Je suis extrêmement concentré, attentif à ne rien lui dévoiler de moi. Il n'a que cette photo. Il la prend, l'approche de son visage, passe ses pouces dessus, saisit une loupe et regarde attentivement les yeux de mon frère. Je commence l'enregistrement.

— Comme vous n'êtes pas habitué, on va laisser venir, voir ce qu'on peut obtenir ensemble. Il faut vous détendre... un peu de temps. Donnez-moi votre main droite, détendez-vous... C'est bon... Vous aviez un lien fort tous les deux, je sens de l'empathie, de la communion entre vous deux, mais aussi une vibration forte. C'est pas votre frère ?

— Si.

— J'entends le mot « frère » de façon précise. Il veut me faire comprendre votre lien de sang... et puis vous avez très peu d'écart, vous êtes rapprochés, non ?

— Trois ans...

— C'est proche, trois ans... C'est curieux parce qu'il m'entraîne en province, votre frère, je suis pas à Paris là, il résidait en province ?

— Pas très loin de Paris.

— Parce qu'il m'entraîne à l'extérieur de Paris, en province, en grande banlieue à la limite. C'est très bizarre ce qu'il m'envoie, comme s'il était tourmenté psychologiquement de son vivant, un peu avant son décès. Je ne sais pas si vous l'avez senti à l'époque. Vous ne vous en êtes pas aperçu... Inquiet, pas tourmenté, inquiet plutôt. Je sens quelqu'un qui aimait faire les choses bien, un perfectionniste... Par contre il est en train de me donner un choc violent, rapide, fort et intense. Il a dû partir assez rapidement... J'ai très mal à la tête, il a eu quelque chose à la tête ?

— Oui.

— Il me donne un choc brutal, comme s'il me cognait la tête. Comme si la tête avait porté dans un accident... frontal. Il me fait comprendre qu'il est mort tout de suite, qu'il n'y a pas eu de coma... enfin que sa conscience n'était plus là en tous les cas, il était hors du corps... Pourquoi il me fait entendre des bruits métalliques, c'est arrivé sur une route ?

— Oui.

— J'entends un bruit de métal, un moteur de véhicule et le bruit fort du métal écrasé... Bon, on va essayer de comprendre ensemble, c'est pas simple, surtout que, pour lui, c'est la première fois qu'il vient... Ça vous évoque quelque chose un 2 ou un 12 ? Vous étiez deux garçons ? Ou alors le 12 correspond à une date, un mois dans l'année, un jour ?

— Le 12, oui, c'est le jour de sa mort.

— Ah oui, merci. Donc accident. Il donne la suite de son accident. Il me le décrit bien pour que je comprenne avec vous... Il me dit qu'il n'est pas responsable par rapport à l'acci-dent. Vous le saviez ? C'est très net, il me dit : « Je suis pas responsable »... Il me montre bien les secours, malheureusement c'était trop tard... C'est curieux, il veut me faire comprendre quelque chose là : il y a une bague que vous lui avez mise à son doigt ? Ou sa femme ? Il y a une histoire de bague.

— Je lui ai enlevé une bague.

— Oui, il me montre le geste avec cette bague. Vous l'avez gardée. Et elle est où, cette bague ?

— Chez mes parents.

— Il aimerait que vous la portiez, cette bague. Il me montre ce geste que vous avez fait lorsque vous l'avez prise. Pour quelle raison ? Instinctif ?

— Non, pour ne pas qu'on la vole.

— Ah, d'accord… En tout cas il vous la donne, « prends-la », il me dit. Donc prenez-la ! Marrant, il me dit : « Grâce à mon départ dans la douleur, tu fais un chemin où tu avances spirituellement, tu cherches, tu cherches, je te vois chercher, t'en as lu, des livres ! » C'est vrai ?

— Oui.

— « Fais confiance », il me dit. « Fais confiance. »

Je commence à être assez troublé par cette séance. Henry Vignaud a deviné qu'il s'agit de mon frère, bon ça ok, c'est une déduction facile, notre différence d'âge aussi, mais voilà qu'il parle d'un accident, en décrit les circonstances, la date, parle du choc à la tête, puis vient cette bague ! Il s'agissait du cadeau que nos parents avaient fait parvenir à Thomas pour ses trente ans, par l'intermédiaire de Sylvain arrivé à Kaboul la veille de l'accident. Thomas avait passé cette bague à son doigt, une sorte de chevalière avec une simple pierre vert foncé en guise de blason, et nous avions parlé de son origine. Une bague qui appartenait à mon père et à laquelle il tenait beaucoup.

Thomas est sur un brancard près de Vadim. Qui l'a monté là ? Il a le foulard de Vadim sur la tête. Sa tête blessée. Sylvain et moi lui ôtons sa bague. Il faut demander de l'eau aux médecins, ils nous tendent du savon. Je glisse la bague dans ma poche. Je lui enlève également sa montre rouge, brisée, pleine de sang et de terre. Mais Henry dit me voir lui *mettre* la bague ! Il se trouve qu'à Islamabad, alors que nous placions les corps dans la chambre froide, j'ai remis cette bague au doigt de mon frère, quelques secondes, à la demande de notre mère, puis je l'ai à nouveau ôtée et gardée avec moi !

Je ne suis pas au bout de mes surprises. Henry poursuit :

— Pourquoi me montre-t-il une cérémonie de mariage ? Vous avez été son témoin ou lui votre témoin ?

— Non, mais il l'était peut-être au mien : je me suis marié il y a trois semaines !

— Ah, voilà, il a vu ce mariage en esprit ! Il y a assisté. « J'étais tellement heureux », j'entends... Ça vous évoque quoi, la lettre F, quelqu'un de proche pour vous, pour lui ? Vivant ou décédé, je sais pas...

Notre grand-père Florian va mourir dans quatre mois, personne ne s'en doute encore. Mais sur le moment ce F ne m'évoque rien, je réponds que je ne vois pas, Henry poursuit :

— C'est incroyable comme il adorait contempler, être observateur, méditatif, la nature était vraiment importante pour lui, il me montre des paysages, comme quelqu'un qui médite dans la nature. C'est très intense. Ah, je ne comprends pas mais il me dit à l'oreille : « Continue tes notes », je ne sais pas ce que vous notez, mais continuez... Il me fait comprendre qu'il « sentait » qu'il allait lui arriver quelque chose, qu'il allait partir jeune. Il l'a dit à quelqu'un ?

— Pas de manière aussi claire…

— Oui, il sentait mais c'était subtil. Qu'un événement fort et important allait se passer… Il était combatif dans certaines choses et en même temps c'était quelqu'un de très éthéré dans sa façon de voir la vie, il se prenait pas la tête. Il avait vraiment une façon de vivre comme les yogis, qui ont une certaine philosophie de vie. C'était un peu ça. Il regrette une chose, que dans les derniers temps de sa vie, « on ne se soit pas assez vus », dit-il. Il aurait peut-être voulu vous voir un peu plus, parler avec vous, être en famille. C'est un besoin qu'il a ressenti en tout cas. Un chauve, ça vous évoque qui ?

— Lui !

— Mais il est pas chauve, votre frère.

En effet, sur la photo, il a des cheveux.

— Il s'était rasé le crâne quelques jours avant l'accident.

— Ah, d'accord, c'est lui alors ! Parce que je vois ce visage décédé avec peu de cheveux sur la tête… Pourquoi il a fait ça ? C'est très zen ça ! Il se montre comme il était dans les derniers temps, quand il est parti. Il a accepté son départ, ça c'est sûr et c'est une bonne chose. Il dit : « Je n'aimais pas le système conformiste », articulé mot par mot. Vous comprenez ça ?

— Oui, oui.

— Ah, c'est clair et net ! « Ne pas me soumettre », il dit. Un tempérament, comme on dit ! Il m'entraîne en voyage, je sais pas où je pars, des voyages différents. Soit très peu de temps avant il avait fait un voyage, soit il en préparait un, il voulait se rendre quelque part. Il avait organisé quelque chose… il devait partir ?

— Il était en voyage.

— Ah oui… C'est incroyable, il a gardé ça spirituellement de l'autre côté, il est curieux, il veut apprendre, savoir, il me dit : « Sur le vif », l'instant présent, les rencontres, ce qui apporte quelque chose avec une intensité de vie, personnelle, culturelle. J'entends le mot « quête », il était dans une quête, une recherche d'existence. « Je voulais comprendre l'existence, il est vrai que vu de l'extérieur, je donnais l'impression d'être assez marginal. C'était une apparence, chacun ses choix. » Il a raison… Il s'est rendu à un moment donné – je sais pas si c'est là où il est décédé – dans un pays ancien, avec des sites, des temples… Je vois des temples aztèques ou mayas ou hindouistes, des choses comme ça. C'est là où il est mort ou c'était avant ?

— C'était avant, mais aussi là où il est mort.

Thomas avait énormément voyagé, certes pas en Amérique du Sud ou centrale, mais dans l'ensemble du sous-continent indien, au Tibet à de nombreuses reprises, au Moyen-Orient. En outre, nous étions en Afghanistan pour travailler précisément sur le très riche patrimoine archéologique du pays, carrefour sans pareil de tant de civilisations avant et après le passage d'Alexandre le Grand, les Maurya, les Kouchans, le bouddhisme, l'hindouisme… Ignorant tout de cela, bien évidemment, Henry poursuit :

— C'est là où il est mort, dans un pays comme ça ?

— On peut dire ça, oui.

— Parce qu'il me montre un endroit, un pays où il y avait des temples... des sites très, très anciens et connus. Je vois des figurines, des structures anciennes, il me fait comprendre la joie qu'il a eue de voir ça et d'être là, c'est très net... Il me fait comprendre qu'il se révoltait parfois. Je sens en moi son énergie psychique, cet agacement, cette révolte qu'il avait... « Je ne voulais pas vivre dans l'intellect mais dans le ressenti et l'expérience. » C'est bien ! Mon guide me fait comprendre que votre frère n'a eu aucun problème à se dégager, qu'il a accepté tout de suite. Il a eu dans le passé un choc affectif qui l'a marqué, qui l'a cassé quelque part, c'est ce qui l'a amené à vouloir vivre différemment. Et je l'entends me dire : « C'est certain. »

Là encore la description qu'Henry Vignaud donne du caractère de mon frère est particulièrement juste. Et il n'a pas pu le voir sur la photo ! J'en dis toujours le moins possible. De son côté, Henry reste silencieux de longs moments, les mains sur le visage, semblant se concentrer, puis il dit entendre Thomas à nouveau.

— « Maman, maman », il pense beaucoup à votre mère. Il s'est promené dans des endroits escarpés, des endroits surélevés, des rochers, il me montre des balades à pied, lui en train de grimper dans la nature...

Thomas faisait de la varappe de manière très intensive. Lorsqu'il habitait chez nos parents dans la forêt de Fontainebleau, il passait chaque jour des heures dans le massif à s'entraîner. Ou alors il disparaissait de longues heures dans les bois, seulement accompagné de son chat.

— Il ne veut plus trop évoquer l'accident... C'est curieux, ce qu'il essaye de me faire comprendre, vous avez tenté d'ouvrir une enquête qui n'a pas abouti ?

— Une enquête ?

— Oui, pour savoir plus de détails encore...

— Sur l'accident ?

— Oui...

— J'ai essayé de comprendre un peu plus les circonstances.

— Moi, il me parle d'enquête, alors j'essaye de comprendre pourquoi.

— Ça n'est peut-être pas en rapport avec l'accident alors...

— Il me parle d'enquête, il me dit le mot « enquête » à l'oreille, alors je me dis que c'est par rapport à sa mort, ou alors c'est autre chose...

Je ne veux rien révéler sur moi à Henry Vignaud à ce stade de la consultation, notamment sur le fait que j'écris, et que le titre de mon dernier livre se termine par... le mot « enquête » ! Et notre discussion présente a pour objet... l'enquête que je suis en train de réaliser sur la mort. Je souris intérieurement.

— « C'est bien, c'est bien », je sais pas dans quel sens il dit ça...

À nouveau un long silence, Henry a les yeux fermés, la photo dans les mains.

— Mais il était pas tout seul le jour de son décès, il était avec quelqu'un qu'il connaissait bien...

— Oui.

— Parce qu'il m'envoie la pensée de quelqu'un qui est parti avec lui. Il me l'envoie très fortement. Ils étaient ensemble, c'est sûr. C'est la pensée de cette personne-là, ce jour-là.

— Et cette personne est là maintenant ?

— En tout cas il y a une présence à côté de lui par rapport à ça. Ils se sont retrouvés de l'autre côté car tout s'est fait très rapidement. Il me dit à l'oreille en parlant d'elle : « On était en accord », donc ils devaient beaucoup s'entendre. C'est des départs simultanés, parce que pour l'autre ça a été aussi vite que pour votre frère. C'est ce que l'autre personne me fait ressentir.

Est-ce Vadim qu'Henry Vignaud « voit » à son tour ?

— On peut pas leur demander de se décrire, ou de donner leurs noms, à ces gens-là ?

— Il faut qu'ils le fassent d'eux-mêmes, ça ne dépend pas que de moi. L'essentiel, c'est que vous compreniez déjà, il y a bien cette autre personne avec lui. Par contre j'aimerais bien comprendre avec vous : était-ce en dehors de l'accident ou au moment de l'accident, pourquoi me montre-t-il un moyen de transport en commun ?

— Il était en voiture.

— Oui, je sais qu'il était en voiture. Mais vous ne savez pas s'il avait pris un car ou un bus la veille ?

— Si… Un bus était impliqué dans l'accident.

— Ah, d'accord ! Il me montre bien ce bus, avec d'autres gens à bord, un brouhaha dedans… J'essaie de comprendre pourquoi il me montre ça.

— Vous ne pouvez pas me décrire ce que vous voyez ?

— Il montre ce bus, ces gens dans le bus, mais il ne me montre pas le détail de la collision. J'ai pas vu exactement cette image-là. J'entends un bruit fort, métallique. Ça c'est sûr, mais en même temps que je vous dis ça, j'entends : « Je suis pas là », donc il a dépassé quelque chose aussi. Nous, on est dans le monde de la matière, avec nos pensées, nos interrogations... Qu'est-ce que je vois comme sang, oh là là !... il y a eu pas mal de blessés quand même. Je vois des corps avec du sang, mais en dehors du sien et de son ami, il me montre des corps avec du sang. Il a dû y avoir beaucoup de morts, quelle horreur ce que je vois. C'est votre frère ou l'autre personne qui a été éjectée du véhicule ? C'est votre frère, je crois... il me montre une projection de corps.

— Oui.

— Je vois un corps éjecté à plusieurs mètres. Je suis à sa place et je suis propulsé d'un seul coup avec violence, sur plusieurs mètres. J'ai ce choc sur la tête et puis cette éjection sur plusieurs mètres... oui, assez loin. Bon, je sens qu'il n'aime pas trop évoquer ça de l'autre côté. Il insiste un peu parce que vous demandez, mais je sens que c'est pas ce qu'il veut. Il me fait comprendre qu'il est déjà venu vous voir dans un songe. C'était quand ?

— Si j'étais sûr de moi... Je me souviens d'un en particulier mais...

— Il n'y a que vous qui puissiez le savoir. J'entends : « Je serai toujours là. » Il dit qu'il s'excuse parce qu'il a causé du souci aux parents par son tempérament. Je pense que vous aurez des signes de lui à un moment donné, je sais pas comment, mais vous en aurez à un moment donné. C'est lui qui a une petite fille ou c'est vous ?

— C'est moi.

— Il était assez proche d'elle, non ? Parce qu'il pense beaucoup à votre petite fille, je sens sa pensée sur elle. « Je la vois aussi », me dit-il. En rigolant de lui-même, il me dit : « Je n'étais pas un tonton comme tout le monde. » Il aimait bien votre métier, ce que vous faites, il vous admirait d'une certaine manière. Il me fait sentir ça fortement. Il aimait bien ce que vous faites, votre acharnement, les résultats que vous obtenez. Il me dit : « Continue »… Pour lui-même il me donne le mot « quête », la quête de la vie. Il dit : « Je cherchais des réponses », sur l'existence sûrement, sur pas mal de choses…

— On est deux.

— Vous, plus depuis son départ. Lui, c'était au quotidien, de son vivant. Le deuil parfois amène à se poser des questions, lui c'était un état. C'est marrant, son énergie, à votre frère ! Autant parfois il pouvait être très familier, épicurien, bon vivant, autant il pouvait d'un seul coup être tout le contraire, comme dans l'ascèse totale, le dénuement. Il se montre pieds nus. C'est antinomique mais c'était un peu sa façon d'être aussi par moments. Il me montre une image et en même temps il me dit : « Va pas trop vite », vous avez des projets d'écriture ?

— Oui.

— Il me dit : « Ne va pas trop vite. » Qu'est-ce que vous voulez faire ?

— Un livre.

— Ah… en tous les cas, il me dit : « Ne va pas trop vite. »

— J'ai besoin de lui pour ça, j'ai besoin qu'il me prouve qu'il est vraiment là-bas…

— Pourquoi ? Vous voulez écrire sur lui ?

— Non, pas sur lui mais…

— Sur quoi ?

— Je vous raconterai ça après…

— En tout cas il me dit : « Prends ton temps », ne vous précipitez pas.

Après plus d'une heure ensemble, Henry Vignaud perd petit à petit la « connexion ». Une question d'énergie, me dit-il. Nous mettons fin à la séance, j'arrête mon enregistreur, il allume une longue cigarette effilée et je lui raconte qui je suis, mon enquête, ce livre autour de la mort de mon frère. Il est disposé à m'aider, nous allons nous revoir.

Je ressors dans l'air frais de Paris, pris d'une envie de marcher, une habitude. Aujourd'hui je suis troublé, très troublé par cette rencontre. D'un côté, voilà un homme qui ignorait tout de moi, de ma vie, de Thomas, tout, et qui en une heure m'a livré un grand nombre de détails sur l'accident, sur la personnalité de mon frère, qui a mentionné les blessés, cette autre personne décédée en même temps que lui. Tant de détails ! Comment fait-il ? Mon pas est rapide, notre conversation me revient en boucle, il manque quelque chose, mais quoi ? Je ne peux me résoudre à accepter que durant tout ce temps, je m'adressais réellement à mon frère. Pourquoi ? Parce que je ne suis pas prêt à croire ça possible ! Henry Vignaud aurait-il pu être aidé par quelques indications inconscientes de ma part ? J'ai été si vigilant, visage fermé, mes réponses étaient succinctes et laconiques. Beaucoup d'éléments vraiment troublants, beaucoup trop pour être expliqués par le hasard ou la chance. Mais Thomas, là ? C'est trop impensable, il doit y avoir d'autres explications. Parfois c'était précis, mais aussi parfois très vague. Pourquoi n'a-t-il pas donné son nom ? Aurais-je été plus convaincu s'il m'avait donné son nom ?

17

Télépathie ou médiumnité ?

J'en veux plus, de toute évidence. Envie d'explorer cette question béante. Durant tout l'entretien avec Henry Vignaud, j'ai été extrêmement concentré sur la manière dont je répondais à ses questions ainsi qu'à ce que lui-même me disait. En réécoutant l'enregistrement, j'ai pu mieux encore analyser la teneur de notre échange. On peut être très impressionné par les informations précises que fournit un médium sans réaliser que c'est nous-mêmes qui les lui indiquons durant la séance.

Je m'explique. Le médium commence à parler, à évoquer des généralités, jusqu'à ce que nous ayons une réaction. En commençant de manière très large : « Je vois une personne avec des cheveux blancs, elle marche lentement » – c'est nous-mêmes qui nommons une personne précise à partir d'indications qui pourraient s'appliquer à tout le monde : « Oui, ma grand-mère avait les cheveux blancs. » Le pseudo-médium continue l'énumération de caractéristiques répandues et façonne sa connaissance de la personne que nous attendons.

Forcément, il semble juste. « Je vois un A dans son prénom, un N aussi. » Si les deux lettres n'évoquent rien, il passe à autre chose, et reviendra plus tard avec une nouvelle lettre. On oublie instantanément ses remarques qui tombent à côté, pourtant nombreuses. En revanche, dès qu'un élément nous parle : « Oui, il y a un L dans son prénom : il s'appelle Philippe », on le lui signale avec émotion, et cela augmente notre confiance. Le pseudo-médium glane ainsi de nouveaux éléments, et affine ses questions suivantes, renforçant encore en nous l'idée qu'il ne peut obtenir ces réponses que de la part d'un esprit.

Il est très facile de ne pas se rendre compte que l'on est dirigé car la méthode est subtile, très efficace, et impressionnante. Ainsi, le pseudo-médium construit progressivement un personnage uniquement avec ce que nous lui en avons dit. Il n'est rien allé chercher « au-delà ». Pour peu qu'il agrémente la séance de messages émouvants et rassurants, on va terminer la consultation en pleurs, en ayant sincèrement eu l'impression de parler à un proche décédé. Certaines personnes prétendant pratiquer la médiumnité ne font en réalité rien d'autre que ça : une habile lecture psychologique de la personne en souffrance et en attente qui se trouve devant eux.

En travaillant sur l'enregistrement de notre séance, je constate dès les premiers échanges que cette technique ne peut expliquer la netteté et la précision des informations fournies par Henry Vignaud. Après trois affirmations générales, « c'est votre frère », « vous êtes rapprochés en âge » et « il m'entraîne en province », il devient immédiatement précis, ne tourne pas autour du pot, affirme une chose après l'autre, et à chaque fois c'est juste, sans hésitation. Il ne va pas à la pêche mais donne des détails avec assurance : « J'ai un choc à la tête », mon frère aurait pu mourir de bien d'autres manières, maladie, etc. « J'ai un bruit de métal » : oui, après le « choc à la tête », l'accident de voiture paraît logique, mais la suite : « J'ai un 2 ou un 12 »... la date de l'accident ! Il y a trente et un nombres possibles dans un mois, il n'en donne que deux, qui pourrait être le même : 2 ou 12. « Il y a une bague », puis « je vois un mariage », ce quelques semaines après mon propre mariage ! Puis suit une description si précise du caractère atypique de mon frère que je cherche une phrase de ma part qui aurait pu le mettre sur la voie, mais n'en trouve aucune ! Non, décidément, Henry Vignaud, dont par ailleurs la réputation d'honnêteté est connue, a obtenu ces informations avérées d'une manière qui m'échappe.

Alors a-t-il simplement eu de la chance ? Celle de tomber juste *par hasard* un nombre de fois suffisamment significatif ? C'est possible, peu probable mais possible. En réalité je n'y crois pas. Je sens qu'il ne m'a pas dit toutes ces choses par hasard. Mon intuition – qui est que l'on a affaire à autre chose que de la chance – va être renforcée par mes rencontres successives avec d'autres médiums. Chacun d'eux me décrira avec précision les circonstances de l'accident, la blessure à la tête, ainsi que plusieurs détails connus de moi seul, sans que j'aie fourni auparavant la moindre indication.

Florence Hubert, par exemple, est une jeune femme dont les dons de médiumnité se sont révélés après deux EMI. Elle travaille également d'après photo. Je la rencontre chez elle, en province :

— Il a de grandes mains, il se tient la tête, a-t-il eu mal à la tête avant de partir ? Il est tombé ? Mort rapide, violente... Il a mal à la tête du côté gauche... je vois une grande plaine, plutôt de la poussière, c'est un pneu qui a dû taper quelque chose puis sa voiture a dû partir sur la gauche... il a été projeté loin de la voiture... il a fallu qu'il prenne conscience de son état, puis il a fait le tour de la voiture, est revenu vers son corps... Il me dit à votre intention : « Je t'aime, fréro ! »

Tous les détails donnés par Florence Hubert sont justes, et Thomas m'appelait... « fréro ».

Jean-Marie le Gall, lui, est médium et guérisseur dans le Sud-Ouest :

— J'ai quelqu'un qui fait de l'escalade, je vois une image de pays chaud, comme le Sahara, « J'y ai laissé ma peau », me dit-il. C'est très violent, j'ai mal à la tête... choc... saignement de nez, hémorragie. Il se tient le ventre. Il me dit : « Jeep, jeep renversée », pneu gauche crevé... essence partout, la voiture fait trois tonneaux...

Là encore les détails sont justes, la voiture, un 4 × 4 Datsun, a effectivement fait plusieurs tonneaux après avoir heurté ce minibus sur la gauche.

D'où proviennent ces informations ? De nombreuses recherches sérieuses ont été réalisées depuis plus d'un siècle sur des médiums et ont permis de constater que dans bien des cas, ni la fraude ni le questionnement directif ne pouvaient expliquer l'obtention d'informations avérées. On doit au professeur de psychologie Gary E. Schwartz la dernière en date de ces études.

Il a entrepris de tester les capacités de plusieurs médiums dans les conditions de laboratoire draconiennes. Les protocoles utilisés étaient tellement stricts qu'ils rendaient impossible l'obtention par les médiums de la moindre information par des moyens conventionnels. L'objectif était de demander à des médiums de « contacter » des défunts proches de volontaires recrutés pour l'occasion. Les volontaires ne rencontrèrent les médiums à aucun moment et, bien évidemment, ces derniers ignoraient tout de leur identité. Pourtant, tour à tour, les médiums testés fournirent quantité de détails précis obtenus de personnes décédées liées à ces volontaires.

La première phase de l'expérience, dont l'objectif est d'éliminer de manière indiscutable toute possibilité de fraude, confirme le caractère totalement inexplicable des nombreux détails obtenus. Comme le souligne Gary Schwartz à l'issue d'une des expériences : « La quasi-totalité de la séance a été presque trop précise, sensiblement au-delà des possibilités de déduction. Les probabilités pour obtenir des noms, des caractéristiques de la personnalité et d'autres détails dépassent toute mesure [1]. » Vient alors pour le professeur la phase de recherche scientifique proprement dite portant sur la nature des dons utilisés par les médiums. « L'un des chalenges de ces expérimentations est

---

1. Gary E. Schwartz, PhD, *The Afterlife Experiments*, Atria Books, Simon & Schuster, Inc., 2002, p. 105.

d'arriver à identifier d'où proviennent ces informations fascinantes[1]. » Expérience après expérience, Gary Schwartz et son équipe décortiquent les retranscriptions des séances, analysent statistiquement les données collectées, interviewent les médiums ainsi que les volontaires et en viennent finalement à retenir deux hypothèses : « S'il est raisonnable de supposer que la communication avec les morts est possible, alors il est également légitime d'envisager que la lecture télépathique le soit. Peut-être que les médiums ne font rien d'autre que de lire dans la tête des gens, retirant des informations de personnes vivantes[2]. » Soit on communique vraiment avec des défunts, soit il s'agit d'une forme de télépathie de médium à consultant, cette autre explication étant déjà en soi assez extraordinaire. Selon cette hypothèse, le médium serait capable de « lire », parfois inconsciemment, dans l'esprit de la personne qui vient le voir. Il ne parlerait pas à un esprit mais obtiendrait des informations en allant les piocher dans la tête de la personne en face de lui. Toutefois, cette forme de télépathie est un acte passif, le médium recevant des images, des flashs. À l'inverse, dans les prétendues communications avec des défunts, les médiums évoquent de véritables conversations « interactives ».

Plus déterminant encore, dans bien des cas les informations livrées par le médium sont inconnues du volontaire. Gary Schwartz précise : « Souvent, nous obtenons des personnes que le sujet connaît

---

1. *Ibid.*, p. 42.
2. *Ibid.*, p. 42.

mais n'attendait pas. D'autres fois, nous obtenons des informations dont le sujet pense qu'elles sont fausses, ou ignore, et dont on constate la véracité plus tard[1]. » Voilà un élément très troublant, car un flash télépathique ne contredit pas ce que pense la personne dans l'esprit de laquelle le médium est venu le puiser. Ou si le volontaire pense à sa mère décédée depuis peu, pourquoi serait-ce un oncle disparu vingt ans auparavant qui « viendrait » ? Et comment expliquer la manifestation de défunts dont le volontaire ignorait la mort ? Dans le cas de la télépathie, c'est une image inerte que le médium voit et décrit, pas un élément actif. Les expérimentations poussées de l'équipe de Gary Schwartz ont permis de mettre ce fait incroyable en évidence, et d'écarter l'hypothèse de la simple télépathie.

Durant mes rencontres avec des médiums, j'ai vécu à plusieurs reprises des émotions très fortes. Notamment lors d'une discussion avec le guérisseur Laurent Bouteiller. Laurent et moi nous étions déjà rencontrés, il savait que j'avais perdu mon frère et connaissait son nom, mais il ignorait les circonstances de sa mort.

Ce jour-là, par téléphone, je lui demande s'il est en mesure d'obtenir de Thomas des détails sur l'accident.

— L'endroit est très désertique… il y a du sable… Thomas est debout, il voit ce sable devant lui, mais dans un premier temps il ne voit pas son corps, ni l'accident, ni rien, il est debout, il ne voit que le paysage. Après avoir été éjecté il ne comprend pas

---

1. *Ibid.*, p. 264.

ce qui lui est arrivé, il n'a pas conscience d'être décédé, d'être mort... il se retrouve debout à côté de la voiture à se demander ce qui se passe. Il n'a pas compris ce qui lui est arrivé sur le coup. C'est comme s'il y avait eu un... il parle d'un flou artistique. Il a eu l'impression d'être dans du flou, il s'est senti léger d'un coup, un petit peu éthéré, des sensations un peu particulières, comment je pourrais dire... un peu les sensations que tu as quand tu es en train de basculer dans le sommeil. Cette espèce de légèreté, d'engourdissement. Puis il a entendu une musique derrière lui, comme un genre de flûte ou de clarinette... je ne comprends pas ce que c'est que cette musique. Ça a attiré son attention, il s'est retourné et il a vu son corps. Et là il y a eu un moment de trouble... de panique. Il n'a pas compris ce qui se passait. Mais quelqu'un est venu l'accompagner. Un homme est venu le prendre en main, et je pense que c'est un de vos grands-pères. Quelqu'un est venu l'aider, quelqu'un de non vivant. J'en suis certain... il y a eu un trouble mais il a été pris en main tout de suite...

En raccrochant, je me dis que tout cela est invérifiable. Impressionnant mais invérifiable. J'en discute avec Natacha, mon épouse, puis je lui propose d'écouter l'enregistrement de la conversation. Arrivés à ce passage, elle se tourne vers moi :

— Stéphane, je crois bien me souvenir d'avoir entendu de la musique !

— Comment ça, de la musique ?

— Le radiocassette de la voiture de Thomas, il fonctionnait encore quand on est arrivés.

— Tu es sûre de toi ?

— Oui... je vois la voiture couchée sur le flanc gauche, les roues vers la route, et... et la musique tourne encore. Je m'en rappelle bien parce que la musique était gaie, entraînante... je trouvais bizarre que personne ne l'éteigne...

Je n'ai aucun souvenir de cela. Aucun. Si Natacha a raison, c'est stupéfiant, car si l'autoradio fonctionnait encore, comment cette information a-t-elle pu être transmise à Laurent ? Par qui ? Nous étions seuls au téléphone, et ma mémoire n'a gardé aucun souvenir de ce détail. Si ce point se vérifie, il jette un éclairage nouveau sur les autres éléments, invérifiables eux, captés par Laurent. Le plus incroyable d'entre eux étant que Thomas continuait à percevoir la scène de l'accident *après* sa mort, et que d'une manière ou d'une autre, il serait en mesure, *aujourd'hui*, d'en décrire les circonstances à Laurent.

Six mois auparavant j'ai eu une longue discussion avec l'autre témoin de l'accident, Sylvain Tesson. J'ai enregistré nos échanges. Je reviens à mon bureau, fouille dans mes dossiers, et retrouve rapidement la retranscription de notre entretien. Dès la première page, stupéfait, je trouve confirmation des souvenirs de Natacha : Sylvain m'avait dit ce jour-là : « Avant le départ de la maison, j'étais avec Vadim qui sortait ses cassettes. Il voulait me faire écouter ses musiques, c'est peut-être d'ailleurs pour ça qu'après, en arrivant sur l'accident, j'ai ce souvenir de musique afghane que Vadim adorait et qu'il écoutait tout le temps. Comme si la musique, la cassette marchait encore, une fois la bagnole accidentée. Mais c'est peut-être la reconstitution d'un souvenir. Tout cela était baigné de musique afghane... »

Vadim était passionné de musique afghane et en possédait de nombreuses cassettes. Une musique afghane aigrelette qui pourrait évoquer à une oreille non habituée de la flûte ou de la clarinette.

Pas totalement certain de l'exactitude de ses souvenirs, Sylvain a cherché son petit carnet dans lequel il écrivait durant ce voyage. Il a parcouru ses notes, lisant à haute voix tous les détails, bruts, violents, couchés en de courtes phrases, précises, douloureuses, et puis, au milieu d'une page, il a lu : « L'autoradio joue encore au milieu des débris. »

18

Des médiums à l'épreuve

Et ces moments de stupeur laissent à nouveau place au doute. Qu'est-ce qui en moi alimente cette méfiance inextinguible ? La peur ou la raison ? Des événements comme celui-ci provoquent des décharges, mais elles sont courtes et ne suffisent pas à elles seules à changer radicalement ma conception de la réalité. Besoin d'un cadre, d'une théorie, d'un modèle explicatif. Ces médiums ont accès à quelque chose qu'il me faut nommer, aussi je poursuis mon enquête, je les questionne, j'interroge des spécialistes, je réfléchis, je relis encore et encore les transcriptions des différents entretiens, je tourne tout cela dans ma tête à m'en donner le vertige, et je fais naître de nouvelles interrogations.

Thomas reste impalpable. Je cherche la preuve indiscutable, celle qui me convaincra sans l'ombre d'une hésitation. J'ai faim de certitude. Mon trouble grandit et rien ne parvient encore à s'imposer avec évidence. Les morts sont-ils vivants ? Ou bien, par exemple, ces informations sont-elles obtenues par les médiums au moyen de capacités extrasensorielles dont, par ailleurs, la réalité testée et retestée des milliers de fois n'est plus à prouver ? Pourquoi y a-t-il cette indéfinissable distance ?

Je décide de tester les capacités de plusieurs médiums en demandant le concours de volontaires. Envie d'observer le phénomène de l'extérieur, d'affiner encore plus les questions, explorer leur propre langage, leur lexique, les faire s'exprimer sur la manière dont ils travaillent. Les écouter. Dans cette optique, m'inspirant des travaux de Gary Schwartz, je propose aux médiums Jean-Marie le Gall, Florence Hubert, Laurent Bouteiller et Henry Vignaud de se soumettre à une expérimentation en aveugle. Ils acceptent sans hésiter.

Le protocole que je soumets aux médiums consiste à placer un volontaire – une personne ayant eu un ou plusieurs décès parmi ses proches – dans la même pièce qu'un médium, sans qu'il y ait aucun contact verbal ou même visuel entre eux. Ils sont séparés par une cloison tout au long de la séance. Quant à moi, je suis assis dans le prolongement de la cloison, de manière à être visible des deux. Je demande ensuite au médium de me dire ce qu'il ressent, ce qu'il capte. Lorsque le médium parle, ou éventuellement pose des questions, le volontaire garde le silence et me fait signe de la tête, ou écrit sur une ardoise, et c'est moi qui réponds au médium s'il en fait la demande, le plus souvent par oui ou par non. Il n'y a ni photo ni la moindre indication fournie préalablement. Aucune fraude n'est possible, moi seul connais les volontaires et décide de leur passage. Chaque séance est enregistrée puis retranscrite. Le texte est ensuite revu par le volontaire afin de noter la précision ou l'imprécision des informations récoltées. Cette étape est importante. Une lecture à froid permet de juger plus posément de l'acuité des détails obtenus. Sont-ils nets, suffisamment précis et descriptifs, ou sujets à différentes interprétations ?

Lors de plusieurs sessions, nous avons obtenu quantité d'informations vraiment consistantes, confirmant, s'il en était besoin, les capacités de chacun des médiums. Plusieurs des volontaires ont été profondément touchés par ce qui leur a été dit. Mais au-delà de l'émotion, il m'a été possible à travers ces expériences de mieux juger de la nature des mécanismes de perception à l'œuvre dans la médiumnité, de la précision inexplicable dont ils font preuve. On pourrait s'imaginer parfois que lors de telles séances, nous aurions tendance à donner nous-mêmes naturellement du sens à des formulations qui objectivement sont très communes, poussés inconsciemment à *vouloir croire* à la réalité d'une communication avec des proches défunts. Ces expériences nous démontrent le contraire avec netteté. De surcroît, la relecture de toutes les retranscriptions a confirmé ce que j'avais commencé à pressentir lors de mes précédents entretiens : les informations avérées que les médiums transmettent semblent être *sélectionnées*. En effet, pourquoi une information apparaît-elle plutôt qu'une autre ? Pourquoi tel détail est-il donné à un moment précis ?

Je touche ici un point crucial. Par exemple, lorsque Jean-Marie le Gall me dit que Thomas lui envoie des images d'escalade, l'information est connue de moi et ignorée de lui, mais pourquoi est-ce cette information plutôt qu'une autre qui est formulée ? Pourquoi, si le médium ne faisait *que* lire dans ma tête – ou ailleurs – n'a-t-il pas d'abord pioché tout simplement le nom de Thomas, puis des choses plus générales ? Pourquoi un détail en soi très banal – donc anodin pour le médium – mais qui revêt une signification forte pour moi est-il avancé ? Qui a fait le choix ?

Le contenu de ces communications laisse vraiment parfois deviner une intentionnalité, le besoin, le désir de dire une chose plutôt qu'une autre. Comme s'il y avait *envie* de communiquer. Qui manifeste cette intention ? Le médium ? Comment serait-il en mesure de faire le tri ? Comment saurait-il ce qui est signifiant pour le volontaire et ce qui ne l'est pas ? Est-ce la personne défunte ? Voilà la question, et comme le soulignent Gary Schwartz et Julie Beischel dans leur dernier projet d'étude : « Il est important de garder à l'esprit au cours de l'élaboration du protocole que durant une séance de médiumnité, nous avons potentiellement trois participants : le médium, le volontaire, et le défunt[1]. » Oui, c'est précisément cette dernière hypothèse, la présence effective du défunt, que l'on essaye scientifiquement de tester.

Pour cela, je suis particulièrement attentif à la formulation choisie par les médiums lors des expériences, aux indications qui laisseraient supposer

---

1. Julie Beischel, PhD, and Gary E. Schwartz, PhD, « Methodological Advances in Laboratory-Based Mediumship Research », Rhine Research Conference, *Consciousness Today*, March 23-25, 2007.

cette *intention de communiquer*. En décortiquant chaque séance, je suis vigilant à ce qui est dit et plus encore à la manière dont c'est dit. Je ne suis plus impliqué, j'observe de l'extérieur et, paradoxalement, c'est dans cette situation que je parviens à mieux saisir la portée de ce qui est en train de se dérouler devant mes yeux. C'est notable avec les quatre médiums, qui obtiennent chacun des résultats très parlants. Par exemple, lorsque Henry Vignaud se prête à l'expérience, il est confronté successivement à trois personnes. Sa séance va durer tout un après-midi.

Le premier volontaire est une femme, Françoise, la trentaine. La pièce est faiblement éclairée à la demande d'Henry. Il est assis, concentré, une bougie allumée, posée sur un petit guéridon, devant lui. Françoise prend place de l'autre côté de la cloison, en silence, sans avoir été vue par Henry. Après seulement quelques minutes de recueillement, Henry dit capter une personne de grande taille, aux cheveux courts. Françoise pense tout de suite à sa mère récemment décédée d'un cancer. Cette information n'est pas transmise à Henry. Il dit voir un M, puis entend « Marie »… la maman de Françoise s'appelait Marie-Claude. Henry évoque une maladie, décrit des symptômes qui correspondent en tous points à ceux de la maladie de Marie-Claude, avec précision, sans tourner autour du pot, livrant ses ressentis les uns après les autres.

— Je suis à l'intérieur du corps, je vois des organes malades, rouges… quelqu'un qui a pas mal de difficultés organiques, respiratoires… la zone pulmonaire prise… j'entends : « Ça a traîné. »

D'emblée, c'est stupéfiant ! On ne lui a rien dit, aucune aide, aucune indication... Marie-Claude a vécu huit ans avec un cancer qui s'est développé pour progressivement toucher l'ensemble du corps. Et Henry dit entendre la défunte ! Il nous livre ce qu'il reçoit d'elle. Puis il dit quelque chose que Françoise ne relève pas sur l'instant, mais qui va se révéler très précis et juste. Henry s'exprime :

— Il y avait une grande pudeur de la part du défunt, l'esprit me montre un grand tissu qui lui recouvre le corps, la tête. Elle ne voulait pas qu'on la voie comme ça... le refus de la dégradation physique. Elle était désolée parce que certains proches voulaient la voir...

Le soir même, Françoise m'appelle pour me dire que son compagnon, Olivier, a été très impressionné par ce passage. Ayant réécouté l'enregistrement de la séance ensemble, il lui a avoué que durant la toilette du corps auquel il avait participé, le corps dénudé de la maman de Françoise avait été enveloppé dans... un grand tissu. Détail supplémentaire, ce tissu avait glissé durant l'opération et Olivier s'était senti embarrassé. Au moment de l'expérience avec Henry, Olivier n'était pas présent, et Françoise ignorait tout de ces détails – le tissu enveloppant le corps de sa mère, la pudeur d'Olivier – n'ayant pas participé à la mise en bière de sa maman ! Elle et Olivier ont été extrêmement troublés par le fait qu'au moment où l'expérience avec Henry était menée, aucun des participants – à l'exception de la défunte – n'avait connaissance de ces précisions. Dans la pièce où s'est déroulée l'expérience, il n'y avait que *Marie-Claude* qui était au courant de cela ! Marie-Claude. Est-ce possible ?

Quelle autre explication pourrait-on envisager ? On n'ose conclure, on veut un autre élément, encore, toujours.

La séance se poursuit, Henry égrénant une longue liste d'informations avérées. Il décrit la profession de la maman de Françoise, directrice d'école, puis son lieu de travail, sa maison, il parle d'un neveu auquel elle est attachée, il évoque la tentative de suicide de sa grand-mère – ce que Françoise avait totalement oublié – donne plusieurs prénoms de proches...

Il ressort de cette expérience une indiscutable netteté, doublée de l'exactitude d'une majeure partie des dires d'Henry. C'est encore frappant lors de la relecture sans concession que Françoise et moi faisons de la retranscription intégrale, quelques semaines après. Cette première expérience est vraiment impressionnante et nous n'en mesurons que difficilement toute la dimension. Ici, plusieurs éléments excluent même l'hypothèse de la télépathie. En outre, l'orientation de certaines phrases comme le choix de ce qui est transmis sont particulièrement frappants. Henry nous dit ressentir une présence, un être vivant. Il ajoute qu'avec plus de vingt ans de pratique, il sait maintenant parfaitement faire la différence entre la présence d'un esprit et une lecture extrasensorielle, ce dont il est également capable. Il explique que lorsqu'il est avec un esprit, comme dans le cas de la maman de Françoise, c'est comme s'il *discutait* avec quelqu'un. Si par exemple il répète mal ce qui lui est dit, parfois l'esprit l'interrompt et le corrige. Il se fait couper la parole ! Cela s'est produit durant l'expérience avec Françoise : Marie-Claude a dit quelque chose que

Françoise n'a pas compris, alors elle a insisté, est revenue à la charge différemment. D'après Henry, cela ne se produit pas lorsqu'il ne fait que « lire » des informations de manière extrasensorielle. Il décrit alors des flashs inertes, pas des mots, des phrases qu'*on* lui souffle à l'oreille.

Nous continuons l'expérience. Françoise quitte la pièce et, après une courte pause durant laquelle Henry reste en isolement complet, je fais entrer le second volontaire : ma propre mère. Je le redis, Henry ignore tout de l'identité des volontaires. Lorsque ma mère prend place dans la pièce, il ne sait même pas si je viens de faire entrer un homme ou une femme. Et là, de nouveau, très vite, Henry décrit spontanément ce qui ressemble aux circonstances de la mort de mon frère.

— J'ai du mal à comprendre ce que j'entends… le bruit d'une déflagration, quelque chose de fort, le défunt m'entraîne dans des régions de montagnes, de vallées. Peut-être que la personne [derrière la cloison] a eu un proche qui est décédé dans une région comme ça, ou qui habitait là-bas…

Je regarde ma mère, je réponds.

— Oui.

— D'accord, j'entends cette déflagration, la personne comprend-elle quelque chose par rapport à ça ? Quelque chose de brutal, on dirait une vitre qui explose ou un coup de feu…

Le côté où était assis Thomas dans la voiture a été enfoncé lors des tonneaux, toutes les vitres ont été détruites.

— Oui.

164

— C'est comme si l'esprit me faisait comprendre qu'il y avait eu une mort subite et violente. C'est bizarre, l'esprit me fait comprendre ça... ça vibre, quelqu'un qui est parti violemment.

— Oui.

— Il n'a pas eu le temps de souffrir... j'ai vraiment la tête bizarre, j'ai l'impression d'avoir un choc à la tête, lié au défunt, au décès... une douleur violente.

Thomas avait une blessure importante à la tête... Je ne peux m'empêcher d'être à nouveau frappé, Henry n'a pas hésité, il s'est lancé en quelques minutes dans une description qui colle vraiment avec le volontaire invisible derrière la cloison. Comme il l'avait fait juste avant avec Françoise. C'est assez inimaginable, surtout si l'on considère le scénario complètement différent qu'il a développé dans les deux cas. Dans le premier, une longue maladie, un cancer, vécu par une femme – ce qu'il nous a décrit. Et puis là, un accident dans un endroit vallonné, du bruit, de la violence, un choc à la tête. Cas si différents et pourtant comptes rendus si explicites.

La suite de l'expérience est à l'avenant : longue description de détails, de traits de caractère propres à Thomas. Toutefois, cette séance comporte moins d'éléments objectivement probants – en dehors de la description de l'accident et de la personnalité de Thomas. Ce qui est déjà énorme compte tenu du fait, ne l'oublions pas, qu'Henry ignore tout de la personne assise derrière la cloison. Les autres éléments donnés par Henry nous parlent, à ma mère comme à moi, mais à la relecture il s'agit plus d'observations, de remarques personnelles qui, dans le cadre rigoureux de cette expérience, ne peuvent être comptabilisés comme des faits objectifs avérés. Même si nous sommes soufflés à plusieurs reprises par ce qui est dit, je ne m'étendrai pas dessus dans la mesure où ces éléments n'ont pas le caractère indépendamment vérifiable de ceux que je cite par ailleurs. C'est là la limite de ce type d'expérience qui, par souci de rigueur, ne s'attache qu'aux éléments qui ne sont pas sujets à plusieurs interprétations.

Henry est fatigué, voilà plus de deux heures que l'expérience a commencé. Je lui demande s'il accepte d'être confronté au troisième volontaire ou s'il préfère arrêter là. Il propose de poursuivre mais sans garantie. Pourtant, avec ce dernier volontaire, nous allons vivre un moment aussi intense qu'avec Françoise. C'est ma femme Natacha qui s'installe de l'autre côté de la cloison. Comme lors des deux précédentes séances, Henry est très rapidement en état de perception.

— Je pars dans le passé, j'entends et je vois une hache avec laquelle on coupait le bois, c'est des souvenirs d'enfant, liés au défunt, à sa vie ou à celle de la personne en face, je ne sais pas... Une hache, on coupe le bois, il y a vraiment cette pensée-là, quelque chose de fort...

— Oui...

— Ça concerne le défunt. Un souvenir que l'esprit veut ramener au vivant, ça devait être quelqu'un qui faisait ça régulièrement l'hiver, dans les campagnes. Il portait une sorte de moustache, de barbichette... Moustache plutôt, je vois un peu son visage, je sens les poils sur moi, c'est très bizarre

166

comme sensation. C'est celui que la personne [le volontaire] attend ?

— Pas spécialement.

Natacha a perdu sa grand-mère maternelle deux ans plus tôt, c'est à elle qu'elle pensait en commençant l'expérience, mais l'homme à la moustache lui évoque son grand-père paternel, mort vingt ans auparavant ; pourtant, elle ne fait pas le rapprochement tout de suite. Elle reste évasive. Henry poursuit.

— C'est quelqu'un qui doit être parti il y a pas mal d'années, vingt ans au moins... quelqu'un de la famille, un grand-oncle, un grand-père ?

— Oui.

— Ça vous évoque quelque chose, quelqu'un qui a glissé en arrière, qui a fait une chute ? D'un seul coup j'ai été pris d'un malaise, comme si j'étais tombé. Oui, non... ? C'est un défunt qui m'envoie ça... Ça évoque quelque chose ? C'est le défunt que la personne attend ?

— Non.

Non, ça ne se rapporte pas à la personne qu'attend Natacha, mais cette réponse ne dissuade pas Henry. Cela lui arrive assez souvent, la dénégation de Natacha n'a aucune incidence sur lui parce que de son côté il perçoit toujours un *esprit qui insiste* pour se faire comprendre d'elle. « Si, je suis tombé ! Elle ne s'en souvient pas mais je suis tombé ! » semble-t-il dire à Henry qui répète l'information.

— J'ai l'impression de chuter, c'est ce que l'esprit m'envoie, je ne dis pas que c'est la cause d'un décès, mais il a dû y avoir une chute à un moment donné...

Après un temps de réflexion, Natacha réalise soudain que c'est de ce grand-père paternel qu'Henry lui parle depuis le début. Subitement les choses s'éclairent. Ce grand-père avait fait une chute grave dans son escalier, ce dont il ne se remit jamais complètement. Cette chute sera confirmée par le père de Natacha le soir même.

— Il a dû y avoir un problème à la main, au poignet..., continue Henry.

— Sais pas...

— Est-ce que le nom Nono évoque quelque chose ?

Le surnom du grand-père était « Patoto ».

— Hum... un peu.

— Nono ? Momo... C'était son surnom... j'entends « Nono », « Momo Coco »... C'est ce que l'esprit essaye de faire comprendre... Il y a quelqu'un d'autre dans sa famille qui est décédé... Je vois une main invisible qui dépose des violettes devant un cercueil... cet esprit aimait beaucoup les violettes, c'est quelqu'un que la personne devait beaucoup aimer aussi... Je vois la main invisible déposer ça sur mes genoux, j'ai même la subtilité du parfum, c'est très agréable... C'est quelqu'un qui pense à cette personne en face et qui veut se faire identifier par ce petit clin d'œil.

Lorsque la grand-mère de Natacha lui écrivait, une violette séchée accompagnait presque toujours la lettre. Natacha est soudain très émue et peine à retenir ses larmes. Ce signe est pour elle très, très significatif.

— Oui.

— Je vois un grand bouquet bien fourni... Pour moi c'est une mère, ou une grand-mère, parce que c'est vraiment une main féminine. Est-ce qu'elle avait un rapport, elle, avec le premier défunt à la moustache ?

— Non.

Pas de rapport familial direct, toutefois le grand-père paternel et la grand-mère maternelle de Natacha se connaissaient et s'appréciaient.

— D'accord, donc ce sont deux esprits qui passent l'un à côté de l'autre... Auprès de cette grand-mère, il y a aussi le prénom de Jean.

— Oui.

Jean est le demi-frère de la grand-mère de Natacha. Un Jean qu'elle aimait tout particulièrement.

— J'entends pas très bien, ça va vite... j'ai un prénom comme Odette, Colette, Paulette... Je n'arrive pas à entendre le nom entièrement, mais c'est ce que son esprit féminin essaye de me faire comprendre.

— Oui.

Natacha pense alors à une Colette, habitant dans une ferme à proximité du village où vécut sa grand-mère, sans trop comprendre pourquoi elle reçoit ce nom. Le soir de l'expérience, en rapportant ces détails à sa mère, elle apprend que la meilleure amie de sa grand-mère, celle qui a été près d'elle jusqu'à la fin, s'appelle... Paulette.

— C'est ça, il y a des liens affectifs... ouh, aïe, elle a dû beaucoup souffrir, aïe, j'ai des douleurs subitement à la jambe gauche. Oui, elle veut me faire comprendre quelque chose. J'ai tout le haut de la cuisse... je peux me tromper ou c'est elle ou quelqu'un qui a subi une amputation ? Qui a souffert de ça alors, c'est pas elle-même ?

Information oubliée de Natacha à ce moment : sa grand-mère était tombée de son lit et était restée bloquée plusieurs heures avant d'être découverte par... Paulette. Suite à cette chute, elle n'avait plus pu remarcher normalement. Natacha avait oublié cet épisode dont elle reçut la confirmation de sa mère au téléphone plusieurs heures après la séance. Henry poursuit :

— Est-ce qu'un animal blanc lui évoque quelque chose ? Pour un défunt ou pour la personne...

Natacha pense à un chat de son grand-père. Elle répond par mon intermédiaire :

— Noir et blanc.

— C'est pas ce que je vois. Je vois du blanc... Ou alors la dominante est blanc sur du noir...

Ici, Natacha contredit Henry, elle pense à un chat noir et blanc, mais Henry ne la suit pas, il reste sur sa perception d'un animal blanc. Troisième surprise, Natacha se souvient plus tard que sa grand-mère était autrefois très attachée à un chien... blanc, qu'elle-même n'a jamais connu.

— Ça sent la violette, vous pouvez pas savoir ! C'est incroyable comme cette grand-mère est à côté, il [le volontaire] devait être proche d'elle. L'esprit me dit qu'elle s'est beaucoup occupée de lui.

Natacha était très proche de sa grand-mère, elle a passé de nombreuses vacances en sa compagnie. En outre, cette mamie fut un soutien inestimable à un moment difficile de la vie de Natacha. Par ailleurs, un détail est intrigant ici : Henry parle du volontaire au masculin. Ses perceptions sont précises et impressionnantes lorsqu'elles sont tournées vers des défunts, mais il semble imaginer qu'un homme est assis derrière la cloison. Pour moi, ce point est important car il indique de toute évidence que le médium n'est pas « branché » sur le volontaire et que, se trompant de la sorte, ce n'est manifestement pas dans la tête de Natacha qu'il lit ces détails tout à fait précis, eux, concernant les défunts. On constate aisément que les outils de perception d'Henry sont orientés vers une dimension qui n'est pas celle des participants à l'expérience mais vers autre chose, invisible, impalpable...

Rompant avec la procédure mise en place depuis le début de l'après-midi, je décide de donner une photo à Henry en lui demandant de se concentrer sur l'homme qui y figure. On y voit un couple assis sur un banc, sur fond de mur blanc. L'homme est l'autre grand-père de Natacha, le mari de la grand-mère – à côté de son mari sur la photo – qui se manifeste dans la pièce depuis tout à l'heure. Sans autre indication, je tends la photo à Henry. Il semble gêné qu'il y ait deux personnes dessus.

— Je ne voudrais pas faire interférence avec l'autre personne... je suis dans une petite ville... je vois une mairie, comme si ce monsieur était le maire d'un village, ou proche du maire. Il me montre bien la mairie comme s'il prenait part aux activités du petit village, la mairie et tout ce qu'il y a autour. C'est très net. C'est bizarre mais l'esprit me dit : « J'étais un penseur libre. » C'est ce que j'entends, c'est quelqu'un qui devait avoir une curiosité intellectuelle...

— Oui.

Le grand-père de Natacha n'était pas maire, mais il était impliqué dans la vie de son village. La perception d'Henry va se préciser dans la suite de l'expérience, ce qui expliquera pourquoi il donnait ce statut social important à l'homme sur la photo.

— Cet esprit-là, en photo, me fait entendre… c'est pas facile, mais depuis tout à l'heure j'entends des soldats marcher, je vois des casques… des gens cachés, comme si lui avait pris part à quelque chose comme la Résistance… avec son père ou lui-même.

— Oui.

L'image évoque immédiatement pour Natacha ce souvenir, très présent chez ses grands-parents, de soldats allemands marchant bruyamment dans la rue centrale du village. Le bruit des bottes, la peur. Les « gens cachés », eux, sont plus liés à sa grand-mère…

— Il me montre des gens… comme si on les avait aidés dans une forme de résistance active. Il a dû cacher des gens, ou ses parents… parce que je sens une ou plusieurs personnes décédées qui lui sont reconnaissantes. Mon guide me dit : « Acte de bravoure. »

Ce sont bien des parents, mais ceux de la grand-mère de Natacha qui avaient caché un déserteur allemand dans leur grenier pendant un an ! La grand-mère avait trente-trois ans à l'époque, elle habitait à quelques kilomètres de chez eux et leur rendait visite très régulièrement. Cet homme avait ajouté au climat de peur dans lequel vivait toute la famille durant cette période de guerre. Stupéfiant détail ! Il est difficile de savoir d'où provient cette information. De la grand-mère, parce qu'elle était directement concernée ? Du grand-père, parce que, déjà marié, il avait peur pour sa femme ? Henry reste confus à ce sujet, pensant être en rapport avec l'homme, alors que c'est probablement la femme à ses côtés sur la photo, déjà *présente* depuis le début de l'expérience, qui s'exprime ici. Quoi qu'il en soit, nous sommes estomaqués qu'il obtienne de telles précisions. Henry regarde la photo à nouveau, comme il l'a fait avec celle de mon frère lors de notre première rencontre.

— Ce n'est pas cette photo... mais je vois une image de ce monsieur en train de classer des dossiers de gens, comme s'il travaillait cas par cas, un par un, comme si les gens venaient le voir un par un...

— Oui.

— Un médecin de campagne... je vois l'aide, l'assistance aux gens... Il veut me faire comprendre... j'ai du mal... il est mort il y a longtemps, lui, hein, il y a au moins trente ans, non, vingt-cinq ans... Il y a longtemps qu'il est parti ?

— Trente et un ans.

Natacha se trompe en m'indiquant ce chiffre que je transmets à Henry, pourtant, là encore, il reste sur sa perception, sans suivre Natacha...

— Au moins vingt-cinq ans. La photo est vieille mais parfois les gens sont morts bien après que la photo a été prise... Là en tout cas, il est mort il y a au moins vingt-cinq ans...

Plus posément, Natacha fait le calcul dans sa tête. C'est Henry qui a raison. Elle confirme :

— Vingt-cinq ans.

— Ah, voilà... Alors là, ça va peut-être vous étonner, mais cet esprit qui est présent est en train de me tenir un pendule au bout des doigts. Il était radiesthésiste, il était guérisseur ?

Le grand père de Natacha était... guérisseur !

— Oui.

— Il me montre ça pour me faire comprendre son métier de radiesthésiste ou guérisseur. Ou les deux à la fois. « J'ai tout fait pour aider », j'entends... Je dois dire que franchement il avait un très bon fluide de son vivant, il matérialise sa main et il passe devant moi... comme pour me soigner le haut du corps... je suis fragile au niveau des poumons et il me transmet son énergie. Merci beaucoup... Il y avait des lettres de gens qui lui écrivaient que la famille a conservées... il me les montre.

Ces lettres de remerciement de patients qu'il avait soignés étaient sa fierté, elles couvraient les murs de son bureau.

La dernière séance de la journée se termine dans une grande émotion.

19

Comment accepter
ce que contredit la raison

L'ensemble des expériences avec Jean-Marie le Gall, Florence Hubert, Laurent Bouteiller et Henry Vignaud ont donc été ponctuées de nombreux moments intenses que l'on pourrait difficilement expliquer autrement que par la présence effective d'un ou plusieurs défunts dans la pièce. L'analyse à froid des retranscriptions a achevé de me convaincre que ce n'est pas le volontaire qui interprète des formulations vagues parce qu'il aurait eu le désir inconscient d'entendre un proche. La meilleure preuve étant que les défunts qui se présentent ne sont souvent pas ceux que le volontaire attend ! En outre, comment croire encore que les médiums devinent par hasard, quand Henry décrit dans ses premières phrases une femme morte d'un cancer lorsque Françoise se trouve derrière la cloison, une mort violente et brusque avec blessure à la tête lorsque c'est ma mère qui se prête à l'expérience, ou quand Laurent, Florence ou Jean-Marie décrivent précisément les proches décédés du volontaire qu'ils ont en face d'eux ? Sans erreur, sans hésitation. Et comment encore parler de télépathie quand sont donnés des détails précis que tous les participants ignorent, et dont on ne découvre la justesse que plusieurs heures, voire plusieurs jours après ?

Une fois passée l'émotion, après avoir analysé l'ensemble des retranscriptions, je me retrouve devant un choix à faire. Est-ce que je suis capable d'accepter ces résultats ? Car la véritable question est là : suis-je capable d'accepter ce que je viens de mettre en évidence alors que cela contredit la vision du monde, la conception de la réalité que l'on m'a inculquée depuis l'enfance ? Dilemme. Je cherchais une preuve, je mets au jour un ensemble d'éléments convergents qui valident l'hypothèse posée en préalable de ces expériences. Les résultats obtenus confirment ce qu'a démontré de manière encore plus spectaculaire l'équipe de Gary Schwartz : en disant questionner des défunts, des médiums obtiennent des informations que seuls ces défunts possèdent.

Le problème est que cette validation se fait en dehors de tout cadre théorique : on ne sait expliquer scientifiquement comment *quelque chose* peut survivre à la mort du corps puisque l'on ne possède pas les instruments qui permettraient de mesurer ce *quelque chose*. Je pensais que la méthode scientifique me dispenserait de la nécessité de devoir faire un choix, il n'en est rien. Je suis presque aussi démuni qu'au commencement. Suis-je prêt à accepter ces résultats ? Rien d'évident. Dans nos sociétés, il existe une grande différence entre ce qui résulte de notre raisonnement intellectuel et le monde de nos émotions, de nos ressentis, de nos intuitions, la réalité de nos expériences intimes. Au quotidien, cette dichotomie n'est pas frappante, mais dès lors que notre existence se trouve bousculée par un événement inhabituel comme une maladie, un accident ou la proximité de la mort, nous devons faire appel à des ressources intérieures nouvelles, et parfois ce qui nous éclaire, ce qui nous apaise, ce qui nous permet d'évoluer, ou même nous soigne, peut se trouver en conflit avec ce que la raison nous dicte. Que faire lorsque notre propre expérience intérieure ne cadre pas complètement avec ce que notre intellect nous dit être réel ? Je cherche à trouver une vérité objective. Elle se dérobe sans cesse, reste insaisissable.

Elle n'existe peut-être même pas.

Alors ma raison résiste, mais je sens tout de même que quelque chose en moi s'est modifié, s'est ouvert. Mes questions évoluent. Certaines disparaissent, d'autres surgissent. Je pense à Thomas différemment. Je me surprends parfois à imaginer qu'il est tout simplement là, imperceptible, et que s'il m'était possible de développer les mêmes capacités que celles d'Henry, de Florence, de Jean-Marie ou de Laurent, il me deviendrait visible. Car mois après mois je continue d'être le témoin d'événements inexplicables.

Laurent Bouteiller est guérisseur, mais aussi médium. Il dit *voir* les défunts, nous avons constaté l'acuité de ses perceptions, toutefois son travail ne s'arrête pas là. Il dit percevoir également les liens, les dépendances émotionnelles qui continuent d'exister entre les vivants et les morts, liens qui, de son point de vue, ne sont pas toujours bénéfiques.

Je sais maintenant pour les avoir vérifiées que ses capacités médiumniques sont avérées, cela m'incite à écouter la suite avec attention. Je le questionne sur sa pratique, je l'observe travailler, sur moi-même, puis sur plusieurs personnes qui viennent le consulter.

Il explique que la présence de défunts autour d'une personne vivante peut être à l'origine de déséquilibres émotionnels, voire physiologiques. De notre vivant, dit-il, nous établissons des connexions avec nos proches et de manière générale avec tous les gens avec qui nous avons des relations. Ces connexions sont de véritables liens énergétiques reliant les personnes. Ces liens véhiculent des informations et des émotions. Laurent explique que lorsque nous sommes vivants, notre corps physique sert de filtre et de régulateur aux émotions que nous vivons, et donc que nous émettons. Lorsque l'on décède, le corps physique disparaît, mais pas le *corps d'énergie* qui, lui, continue de fonctionner selon le même schéma émotionnel. Sauf qu'il n'y a plus de filtre. Les émotions sont vécues par le défunt de manière non contrôlée, non filtrée, sans régulateur. De son point de vue, la mort ne rompt pas les liens avec les vivants ; en conséquence, lorsque des défunts continuent à être dans un émotionnel non résolu – des regrets, de la peur, de la confusion, etc. – tout en étant reliés à des vivants particuliers, ils les inondent de ces émotions puissantes au point que ces vivants peuvent en ressentir inconsciemment les effets.

Laurent voit dans ce phénomène la source de certaines difficultés qu'il nous arrive parfois d'éprouver sans que l'on en comprenne l'origine :

dépression, réactions de peur qui nous semblent étrangères et sur lesquelles on ne parvient pas à avoir de prise. Nous serions inconsciemment le jouet des émotions émises par des défunts autour de nous. Je sais que cette piste est explorée par des psychanalystes et de nombreux professionnels en santé mentale pour qui elle n'est pas aberrante, étant entendu qu'ils s'abstiennent en général de se prononcer sur la *réalité ontologique* de ces défunts. S'agit-il d'entités réelles ? De souvenirs inconscients ? De mémoires ? En thérapie, il n'est pas impératif de répondre à ce genre de question. Au contraire même, trop se focaliser dessus peut être préjudiciable à un bon accompagnement, précisément lorsque l'on aborde des zones frontières. Face à un patient souffrant d'un problème particulier, un traumatisme, une phobie, etc., on peut parfois en découvrir la cause dans un historique familial. Cependant, ce mécanisme devient inexplicable selon nos modèles classiques lorsque le patient ne sait rien du passif familial en question, qui pourtant semble être réellement la source du problème. Comment peut-il être affecté par quelque chose qu'il ignore ? C'est pourtant ce qu'observent nombre de thérapeutes : des processus pathologiques ou émotionnels qui se répètent sur plusieurs générations sans qu'aucun lien causal ne soit décelable. Et l'inconscient n'est pas la panacée.

Dans certains cas, Laurent décèle la présence d'entités, de défunts qui poursuivent leur existence sous une forme nouvelle, et dont l'émotionnel non résolu parasite en quelque sorte les personnes dont elles ne parviennent pas à se détacher. Il n'y voit pas nécessairement de mauvaises intentions, mais plutôt une extrême confusion. Celle qui suivrait le décès. Car après la mort, surtout si celle-ci a été violente et rapide, les défunts ne se rendraient pas systématiquement compte de leur état, prisonniers d'un scénario confus auquel ils semblent incapables de trouver une issue. Il est intéressant de remarquer que l'existence de ces « fantômes » est intégrée à un travail thérapeutique dans certaines écoles psychanalytiques ou en psychologie transpersonnelle par exemple. À l'instar d'autres soignants, Laurent utilise donc les capacités qui sont les siennes pour mettre ces connexions en lumière. Et les couper. Il est notamment intervenu sur Dominique, la mère de ma fille.

Dominique est sujette à de nombreuses peurs. Peur de la mort, de l'inconnu, du « passage », dit-elle. Au début de la séance, Laurent lui demande quelle expérience elle a avec la mort. Dominique avait une cousine qu'elle adorait, comme une sœur, une âme sœur, et qui s'est suicidée plus de vingt ans auparavant, mais la blessure est toujours là. Cette douleur a été ravivée par le décès de sa grand-mère dont elle était très proche. Même si ces décès remontent à plusieurs années, Dominique les vit comme quelque chose de très physique, y penser déclenche immédiatement un malaise, un sentiment de vide, réveille une tristesse profonde, la peur. « Je ne suis que peur ! » répète-t-elle. Elle mentionne succinctement ces deux décès à Laurent, sans livrer de détails.

Pendant ces premiers échanges, le regard de Laurent balaye l'espace autour de Dominique.

Elle observe ses yeux qui se fixent soudainement, comme s'il *voyait*. Il demande à Dominique si elle n'a pas souvent froid sans raison. Oui, elle est frileuse, même lorsqu'il fait chaud. A-t-elle des frissons de temps en temps ? Étonnée, elle lui répond qu'elle a souvent des frissons incontrôlables, très physiques, qui se produisent n'importe quand et sans rapport avec un changement de température, à tel point que cela est même devenu un sujet de moquerie de la part de ses collègues de bureau. Laurent lui explique alors que les âmes, les esprits qui sont connectés à elle dégagent du froid, et que ses frissons viennent tout simplement du fait que deux âmes demeurent tout près d'elle. Il les perçoit en ce moment même. Lorsque ces présences sont particulièrement proches, elle les ressent et frissonne.

— N'êtes-vous pas aussi sujette à des problèmes de gorge ?

Oui, régulièrement, une à deux fois par an, Dominique a une forte extinction de voix, et ce depuis plus de huit ans au moins.

Les sensations de Laurent se précisent, il *voit* une présence forte de la grand-mère. Soudain, il met sa main à la gorge.

— J'ai la gorge qui me brûle, je sens quelque chose...

Puis il est pris d'une quinte de toux.

— C'est un message, cela veut dire quelque chose... Votre grand-mère est partie sans avoir eu le temps de dire des choses importantes, elle regrette, elle aurait eu besoin de les dire. Je sens qu'il y a quelque chose avec sa gorge. C'est pour cela que je tousse... que j'ai mal à la gorge. Et vous, c'est pour cela que vous avez régulièrement des extinctions de voix. C'est votre grand-mère qui vous envoie ça...

Puis il semble changer de sujet, disant qu'il aura sans doute plus tard l'explication de cette toux et de sa douleur à la gorge.

— Est-ce que vous n'avez pas toujours eu un sentiment de manque, de vide ?

— Si...

— Est-ce que vous avez perdu un enfant ?

— Non.

— Une sœur ou un frère ?

— Non.

Laurent paraît troublé, pas convaincu par les réponses de Dominique. Le lendemain, Dominique se remémore alors sa mère évoquant un jour la perte d'un troisième enfant. Elle l'appelle et apprend que sa maman a effectivement subi une interruption volontaire de grossesse... quelques années après sa propre naissance !

Laurent continue d'être gêné par ses sensations à la gorge, il tousse. Aussi demande-t-il à Dominique de lui décrire les circonstances de la mort de sa grand-mère.

— Elle a eu une attaque cérébrale... elle a sans doute dû avoir conscience de son malaise car c'est en allant au téléphone qu'elle s'est écroulée... On a retrouvé son répertoire ouvert et ses lunettes pour voir de près posées dessus.

Dominique pense que cela pourrait expliquer ce sentiment de non-dit décrit par Laurent il y a quelques minutes. Mais là encore, il sent qu'il y a autre chose. Dominique n'est pas en mesure de lui en dire beaucoup plus sur le décès : ses parents ayant voulu la préserver à l'époque, elle n'est au courant que de l'attaque cérébrale, d'une mort rapide. Elle n'a pas voulu voir le corps... Sauf que sa grand-mère n'est pas morte d'une attaque cérébrale ! Le lendemain, alors que Dominique raconte sa séance à sa mère, elle comprend la raison de l'étouffement de Laurent : en effet, sa maman lui révèle que sa grand-mère est morte... étouffée, victime d'une violente crise d'asthme !

— Ils ont jugé préférable de me laisser imaginer une mort rapide et sans souffrance en parlant d'une attaque cérébrale... Que de non-dits autour de Mamy !

Laurent a ressenti la mort de la grand-mère de Dominique telle qu'elle s'est réellement produite et non pas telle que Dominique se l'imaginait. Encore un exemple spectaculaire.

Mais Dominique n'est pas au bout de ses surprises.

Laurent travaille souvent avec Florence Hubert lorsqu'il fait des soins. La méthode est assez surprenante, mais comme j'ai pu le constater à plusieurs reprises, elle fonctionne. Laurent dit avoir besoin de Florence pour parler avec les défunts. Il souhaite recueillir son avis sur les présences autour de Dominique avant de couper les liens énergétiques. Il l'appelle sur son portable et met le haut-parleur. Il donne à Florence le nom et l'âge de Dominique et lui demande ce qu'elle voit. « Voir » : Dominique est dubitative. Par téléphone ! Elle ne trouve pas cela très crédible. Florence reste d'abord silencieuse, puis très vite dit ressentir des présences autour de Dominique, des présences féminines. Elle dit que l'une d'elles est dominante, « très puissante et pleine de douceur à la fois ». Puis, abrupte, elle demande si Dominique a perdu une tante ou une cousine.

— Une cousine…, répond Dominique.

La voix de Florence sort du haut-parleur.

— Je confirme, votre cousine, elle a une énergie puissante et en même temps pleine de douceur. Elle est partie depuis longtemps…

Laurent intervient.

— Florence, tu peux avoir son prénom ?

Quelques secondes de silence, puis Florence à nouveau :

— Il me semble qu'il y a le son L dans son prénom.

La cousine de Dominique s'appelait Michelle. Une boule d'émotion la saisit à nouveau, les larmes coulent. Florence dit ressentir du regret et beaucoup de demandes de pardon autour de cet esprit…

— Michelle souhaite que vous lui pardonniez… il y a quelque chose à lui pardonner… Mais dites-moi, j'ai la tête qui tourne… ça tourne très fort, j'ai besoin de m'asseoir… oh, ma tête… Michelle a eu un problème à la tête ?

Florence ignore que Michelle s'est suicidée, à aucun moment Laurent ne le lui a dit. Le seul mot que Michelle avait laissé près d'elle avant de se tirer une balle dans la tête était : « Je vous demande pardon. » Là encore, on ne peut qu'être frappé par les perceptions si justes de Florence. Mais ce n'est encore rien par rapport à ce qui va se produire à la fin de la séance.

Quand Laurent raccroche, les messages sont transmis à une Dominique assez secouée. Puis

Laurent explique qu'il va procéder à la déconnexion de ces liens énergétiques entre elle et sa grand-mère et Michelle. Dominique est debout face à lui. Laurent s'adresse à haute voix à la grand-mère ainsi qu'à Michelle tout en semblant manœuvrer des énergies avec ses mains, Dominique préfère fermer les yeux. Elle respire le plus calmement possible et, à sa stupéfaction, elle sent soudainement son corps se vider de quelque chose, au niveau de la poitrine. Une émotion monte, les sanglots arrivent, et bientôt elle pleure à chaudes larmes. Elle a l'impression que cela dure longtemps. Toujours les yeux fermés, elle reprend progressivement son calme, s'apaise. C'est fini. La pièce est redevenue silencieuse.

Elle ouvre les yeux. Laurent est debout en face d'elle, attentif. Voyant que Dominique lui sourit en retour, il lui dit avoir des messages à son intention.

— D'abord, dit-il, Michelle est *montée* très vite. Elle et votre grand-mère sont montées très vite, soulagées, et elles ont été accueillies par beaucoup de gens... Une personne s'est avancée vers votre grand-mère, les bras grands ouverts... est-ce qu'elle connaissait un Charles ?

En entendant ce nom, Dominique sursaute et sent à nouveau l'émotion lui nouer le ventre.

— Oui... son frère préféré s'appelait Charles... il était également le grand-père de Michelle...

— Votre grand-mère a prononcé son prénom quand elle l'a vu : « Charles ! » Puis elle m'a dit quelque chose pour vous, quelque chose qui semblait important pour elle et pour vous... un mot que je n'ai pas bien compris et qui ne doit pas être du français, un mot qui se termine par un i, une petite phrase, « épouli » ou « apouli »...

Laurent retranscrit maladroitement ce petit message, sans réelle signification pour lui. Mais Dominique comprend aussitôt. Les larmes réapparaissent, elle est sans voix, son cœur s'emballe, ce mot réveille un tel écho en elle : Dominique a passé une grande partie de son enfance en Provence, région d'origine de sa grand-mère, dans un petit village enchâssé dans les collines à quelques encablures au nord de Toulon ; sa grand-mère avait coutume de l'appeler « mon rat joli », une drôle d'expression teintée d'amour, de tendresse, de gaieté et de soleil... sauf qu'elle ne le disait pas en français, mais en provençal : « *mon gàrri poulit* » !

20

Savoir ne suffit pas

Dominique écrit chaque détail de cette expérience dans les jours qui suivent, chaque sensation, chaque mot de Laurent et de Florence, ainsi que les discussions qu'elle a ensuite avec ses parents. Tout sort d'un coup, dans un flot d'émotion. Elle ne veut rien omettre. Elle raconte qu'il lui a fallu un temps de recul pour saisir toute la force, la magie et l'importance du message de sa grand-mère qui ponctuait la séance : « Un message qui me disait *tout simplement* que Mamy était vraiment là, à côté de moi ! Et qu'elle me parlait à travers Laurent ! Qui d'autre aurait pu m'appeler ainsi ? J'ai eu le sentiment d'être dans le film *Ghost*, sauf que je n'étais pas dans un film mais dans ma vie, c'était ma mamy... » Effectivement, qui d'autre pouvait l'appeler ainsi ?

Pourtant c'est difficile à accepter tel quel, à comprendre, à intégrer dans une existence. En ce qui me concerne, je ne mesure la portée de ces messages que par étapes, progressivement, lentement. Ce *signe* d'une grand-mère s'ajoute à tous les autres, à toutes ces expériences. Cette accumulation d'éléments me tiraille, me bouleverse, et permet aussi de renforcer l'idée que Thomas s'est sans doute déjà adressé à moi. Mais cela a beau être ce que je cherchais depuis des années, depuis ce matin d'avril, j'ai besoin maintenant, afin d'y adhérer pleinement, d'une description du monde qui autorise cette possibilité. Or, dans la société dans laquelle je suis né, cette réalité n'est pas prise au sérieux. Il n'existe pas de position médiane. Comme s'il était établi avec certitude que notre personnalité est uniquement générée par des processus neuronaux, que lorsque le corps s'arrête de vivre, la conscience produite par le cerveau disparaît en même temps que le cerveau cesse de fonctionner.

On sait que ce n'est pas le cas ! Nous avons vu combien ces assertions n'ont rien de scientifique, qu'elles contredisent les faits observés et sont aujourd'hui remises en question par des scientifiques eux-mêmes. Mais dans la mesure où il n'existe pas encore de grande théorie scientifique de la conscience capable d'intégrer ces phénomènes, le chercheur est parfois dans l'impossibilité de comprendre ce qu'il constate. Il est possible de tester, de vérifier, de valider certaines pistes, mais sans théorie scientifique satisfaisante, on ne sait que faire des résultats obtenus.

Nous en sommes là face à la mort. J'échoue ici. Des choses stupéfiantes sont observées et l'on en ignore les mécanismes, car elles échappent pour l'instant à toute mesure ; aussi neurologues, médecins, chercheurs de différentes disciplines en sont-ils réduits à des suppositions. On sait que les processus matériels n'expliquent pas tout, que nous sommes autre chose que des cellules et des échanges chimiques, mais on ignore encore quasiment tout de la nature de ces caractéristiques indétectables, pourtant constitutives des êtres humains. Comme me le disait le psychiatre Bruce Greyson en évoquant l'expérience de mort imminente : « Nous avons des termes religieux pour définir cette expérience, mais pas encore de vocabulaire scientifique. »

Cela semble être également vrai pour bien des observations inexpliquées en rapport avec la conscience.

Mais au fait, de quel vocabulaire religieux s'agit-il ? Quels sont ces modèles ? L'enquête scientifique m'a amené au maximum de ses possibilités et pourtant je sens que l'on peut aller plus loin. Que les réponses qui se dessinent peuvent s'insérer dans un cadre, un modèle plus vaste de la réalité. Pourquoi y renoncer maintenant ?

Parmi les scientifiques, j'en rencontre plusieurs qui se sont penchés sur ce que d'autres visions du monde, des enseignements, des savoirs traditionnels ou religieux proposent comme grille de lecture. Les similitudes existant entre certaines connaissances scientifiques, comme la physiologie des processus émotionnels et des enseignements spirituels du bouddhisme par exemple, laissent supposer que la science peut travailler de concert avec les détenteurs de ces savoirs traditionnels, et que loin d'y perdre toute raison, elle a même beaucoup à en apprendre. Dans le même ordre d'idées, les chamanes amazoniens qui portent un autre regard sur la réalité que celui qui est le nôtre depuis trois siècles décrivent un univers de visions et d'esprits, un espace où le temps et l'espace disparaissent et dans lequel le monde des morts est précisément connu et décrit. Depuis des millénaires, au sein de tant de peuples différents répartis sur l'ensemble de la planète, il est implicite que la mort ne marque que la fin d'une forme temporaire d'existence, qu'il en existe bien d'autres, la mort figurant un simple changement d'état.

Il est temps pour moi de m'engager dans une autre direction. De partir à la découverte de ces autres systèmes de description du monde, des systèmes plus anciens, bien plus anciens que notre jeune science occidentale. C'est un tout autre type de voyage que j'entame. Un voyage intérieur.

21

Ayahuasca

Après avoir glissé sur la barrière des Andes, dans le noir absolu, l'avion survole la forêt et l'aube commence. Un sol noir se détache dans la pénombre. Du tapis inquiétant de la végétation s'élèvent des buées sombres et chaudes, des lambeaux de nuages, une brume dense, vivante, une respiration nocturne surprise par la clarté naissante du jour. Le sol n'est qu'une immensité infinie et obscure. « *Les Indiens appellent ce pays* Cayahuari Yacu, *"le pays où Dieu a laissé la Création inachevée". Ils pensent qu'après la disparition des hommes, Dieu reviendra terminer son œuvre* [1]. »

Mon avion amorce sa descente sur Iquitos, en Amazonie péruvienne. J'ai l'impression d'arriver au fond de la mer. Le sol se rapproche, atterrissage, l'appareil s'immobilise, je descends sur le tarmac, humidité, chaleur, je respire un air parfumé.

Quelques kilomètres en taxi, une heure de marche sur un chemin de sable qui s'enfonce dans

---

1. Ouverture du film *Fitzcarraldo* de Werner Herzog, 1982.

la forêt, et j'atteins le centre du chamane Guillermo Arevalo. Je suis comme un enfant lâché dans un pays inconnu. C'est la première fois que je mets le pied sur le continent sud-américain, je ne parle pas trois mots d'espagnol et je m'apprête à faire l'expérience de l'ayahuasca, la plante sacrée au cœur de la tradition chamanique amazonienne.

Dans quelques jours s'ouvre à Iquitos une conférence internationale sur le chamanisme amazonien réunissant chamanes et scientifiques du monde entier. L'occasion pour moi d'en apprendre plus sur cette substance psycho-active provoquant de puissants états de conscience modifiés, et capable, au dire des chamanes, de me faire voyager dans le monde des morts. Mon ami le réalisateur français Jan Kounen y participe. C'est grâce à lui que je pénètre cet univers totalement nouveau pour moi.

Le centre, composé de plusieurs grandes maisons de bois, est situé sous le couvert des arbres. Bâtisses de planches aux fenêtres seulement fermées de moustiquaires. La maison de Guillermo fait office de salle d'accueil ; en face se trouvent un réfectoire prolongé d'une cuisine, un dortoir de deux étages puis, sur l'arrière du terrain, plusieurs huttes individuelles. Je croise quelques Occidentaux : Alexis, un jeune Américain installé ici depuis des mois, Bastien, originaire de Belgique et qui a vécu sa première expérience d'ayahuasca la veille. Guillermo est absent, c'est Sonia, son épouse, qui m'accueille. Je pose mes affaires dans le dortoir qui jouxte la cuisine.

Il est convenu que je prenne de l'ayahuasca dès ce soir. Je suis impatient. Je veux voir Thomas. Sur les conseils de Jan, je me prépare depuis plusieurs jours en suivant une diète rigoureuse. Je vais découvrir combien un strict régime alimentaire est le préambule de tout travail chamanique. Le corps doit être propre pour accueillir la plante. Un corps purifié. Je me sens devant une porte, devant une porte ouvrant sur un autre monde.

Au fond de la mer Amazonie.

La nuit est tombée depuis longtemps, il est près de huit heures, je suis le premier installé dans la grande hutte où va se dérouler la cérémonie. Cet endroit est appelé *maloca*. J'ai mis autour du cou un foulard bleu qui appartenait à Thomas. Je n'ai pas peur, je suis plutôt curieux. Épuisé par le voyage, je ne suis pourtant pas parvenu à dormir l'après-midi. La salle est ronde, large d'une quinzaine de mètres. La flamme fragile d'une bougie placée au milieu fait bouger les murs. Une trentaine de matelas sont disposés en cercle. J'ai choisi une place à droite du chamane, endroit encombré de pierres, de tissus, d'objets divers et de bouteilles en plastique. Le silence. Je savoure ce moment légèrement en retrait, ces ultimes minutes d'attente dénuée d'impatience, parcouru par l'intuition qu'une nouvelle partie de ma vie va émerger de ce voyage au Pérou. La pluie qui est tombée tout l'après-midi baisse d'intensité. Juste avant d'entrer dans la *maloca*, j'ai croisé un gros crapaud.

Un peu avant neuf heures, la hutte se remplit : les Occidentaux, Sonia et un chamane du nom de Ricardo – Guillermo n'est toujours pas là. Ricardo m'appelle. Je viens m'asseoir devant lui. Il inspecte plusieurs bouteilles, en ouvre une, puis verse un peu d'une substance noire au fond d'un petit verre.

Une légère dose d'ayahuasca, une gorgée. Elle glisse dans ma gorge, âpre, pas spécialement désagréable. Je retourne à ma place, bientôt Ricardo souffle la bougie et l'on se retrouve dans l'obscurité. J'attends, je guette, les yeux ouverts. Rien ne se passe. La fatigue prend finalement possession de moi et je m'allonge. Toujours aucune vision, en revanche une nausée terrible est en train de monter, je me sens très faible. Bientôt je ne peux plus retenir mon envie de vomir. Le corps engourdi, parcouru de frissons, je me redresse, tenant un seau en plastique entre mes bras, la tête à moitié dedans.

Plus la nuit avance, plus j'ai l'impression de devoir sortir quelque chose de mon ventre. Et ça ne sort pas. C'est de plus en plus terrible. Je tente bien de suivre les conseils que l'on m'a donnés depuis mon arrivée ce matin : remercier, être reconnaissant à la plante de me nettoyer, mais j'ai du mal. Progressivement la colère se déploie. Qu'on en finisse, merde ! Je me sens vraiment mal et en plus je ne vois strictement rien. Ça n'a vraiment aucun intérêt, ce truc, qu'est-ce que je suis venu faire ici ? J'ai perdu la notion du temps, j'ai l'impression que des heures se sont écoulées, et qu'il ne se passera rien.

Ricardo m'appelle à nouveau. Je me lève avec peine et, chancelant, je viens m'asseoir devant lui, en tailleur, le dos courbé par la fatigue, n'y croyant plus, seulement désireux d'aller dormir. Il commence à chanter. Les chants, les *icaros*, sont censés accompagner et aider le voyage chamanique. Tu parles ! Comment ai-je pu imaginer que ce truc allait me faire voir Thomas ? Mais quel con je fais !

Ça rend juste malade à crever. La voix aiguë de Ricardo danse autour de moi. C'est ça, vas-y, magne-toi d'en finir que j'aille dormir ! Qu'on en finisse ! Je ne suis pas près de recommencer. J'ai mal au ventre, les renvois me brûlent la gorge, mon corps est épuisé, ivre, vidé, pris de malaise. Et je ne vois rien. Mais alors strictement rien ! Par moments, je transpire à grosses gouttes, brûlant de chaleur, et trois minutes après je grelotte, emmitouflé dans une polaire et deux couvertures.

Il faudra des heures pour que la nausée s'estompe, que ma tête arrête de tourner à m'en rendre dingue, et que je puisse glisser dans le sommeil, pelotonné en position fœtale, sans plus bouger un seul muscle. Dormir. Expérience de merde.

Le lendemain, j'ai toujours la nausée à dix-sept heures passées. Je traîne ma carcasse et mes questions, dans un voile d'épuisement, à travers le centre. On tente de me réconforter, de me dire que ma réaction est normale, que ça se passera mieux la prochaine fois. Je ne suis pas convaincu qu'il y aura une prochaine fois. Comment se fait-il par exemple que pour Bastien, la première session, avant-hier, ait été une expérience si positive, une véritable révélation ? Je me sens si faible, qu'est-ce qui cloche chez moi ? Toute la nuit j'ai eu la sensation de devoir vomir une petite chose visqueuse noire. Sortir ce truc de mon corps. Et cette colère ! Pourquoi ai-je été tellement en colère ? En colère contre la plante. En colère d'être malade à ce point. J'ai fait de mon mieux pour essayer de remercier, mais mon énergie était celle de la colère. Une colère est en moi.

Une nouvelle nuit s'avance. Guillermo apparaît. C'est un homme de petite taille à la charpente solide. Il se dégage de lui une force discrète, il me fait l'effet d'une montagne en sommeil. Son regard est rassurant. Il s'enquiert de mon état, de la façon dont s'est passée ma première nuit et me fait dire, lui aussi, que ma réaction est normale. Je dois d'abord sortir ce qui est en moi et ensuite je verrai des images de mon passé et de mon futur. Sortir ce qui est en moi, j'ai la sensation furtive que ce n'est pas joli, une chose noire cachée. Les paroles apaisantes d'Alexis, de Bastien, des autres et de Guillermo finissent par me convaincre que je ne dois pas renoncer. *Quiero ver a mi hermano que está muerto*.

Guillermo m'appelle en premier. Il me montre le verre dans lequel il a déjà versé une bonne dose d'ayahuasca et me demande s'il y en a trop. Oui ! Il en renverse un peu dans la bouteille, puis place le verre entre ses mains et souffle très longuement dedans. Comme une prière intense. Je bois. Le goût est plus âpre que la veille, plus difficile à supporter. Pas bon. Plusieurs autres personnes me succèdent devant Guillermo, puis la bougie est finalement soufflée. Obscurité, silence, seulement le murmure de la forêt. Les minutes passent, puis les heures, aucune vision, beaucoup de vomissements, état général moins négatif.

J'ai le sentiment de vraiment me laisser aller, de ne pas attendre d'image, de ne pas juger, mais je ne vois rien, il ne se passe rien, même lorsque je me retrouve à nouveau devant Ricardo et qu'il chante pour moi. Toutefois j'observe que je ne suis plus en colère. Peut-être suis-je en train de me nettoyer. Ai-je besoin d'un corps propre pour voir ?

Troisième nuit. Face au chamane, petit verre, deux gorgées, grimace, la plante coule en moi. Ça commence par le son, les bruits de la forêt, ce bruissement d'insectes évoquant le scintillement de millions de petits cristaux entrechoqués. Il prend de l'ampleur, ce murmure, et devient progressivement assourdissant, puis très vite la tête me tourne. J'ai enfin des visions. Mais elles sont beaucoup trop rapides, cinglantes, multiples, si innombrables qu'aucune ne parvient à se détacher des autres. Je ne retiens rien, je suis au bord de perdre connaissance et j'observe une frénésie délirante d'images qui se mangent, qui se dévorent les unes les autres. Tourbillon de scènes, de flashs, de matière, qui m'emporte.

C'est une nuit terrible, atroce. Le corps écrasé contre le sol, mon visage se mélange à la terre, chaque particule de poussière prend vie, bouge, s'anime, grouille devant mes yeux dont je ne sais plus s'ils sont ouverts ou fermés. Je dois fournir un effort considérable pour me redresser sur les bras et tendre la tête vers le seau et vomir, et vomir, et vomir, cracher, sortir, et extraire ce cauchemar de mon corps broyé dans une terrifiante tempête. Je n'ai plus aucun contrôle, abandonné, incapable du moindre mouvement, pris dans le souffle surnaturel d'un autre monde.

Guillermo et Ricardo viennent *travailler* tout à côté de moi. Je sens leur présence, le souffle du tabac, leur énergie protectrice. Aidez-moi ! Ma main rampe à la recherche de leur contact. Ils sont là. Je suis submergé d'images indescriptibles. Cela dure des heures. Dans la nuit, je trouve la force de sortir. Me vider. Je m'écroule.

Ricardo me retrouve et tente de me relever, je ne veux pas. À cheval sur moi, il chante, allume sa pipe, souffle du tabac, et parvient finalement à me ramener. Dans la *maloca*, je m'écrase à ma place. Je suis allongé, inanimé sur le dos. Ricardo s'assoit avec souplesse à ma gauche. Je sens ses doigts sur des points précis de mon ventre, comme s'il bougeait mes intestins.

Et je disparais dans la nuit.

Le soleil fait pénétrer des millions de particules dans ma peau. L'esprit alerte dans un corps fatigué, je reste debout, torse nu, dans une tache de lumière. Un peu de café, un morceau de banane. Le brouillard qui suit le réveil après une cérémonie est cotonneux. Cet état est doux. C'est un moment où l'indicible de la nuit passée tente de s'ordonner, de se construire. J'écris quelques phrases de stupéfaction dans mon cahier à la couverture bleue. Puis je vais rendre visite à Ricardo. Il est dans sa maison, un peu à l'écart du centre, assis dans un hamac, souriant. Soudain, il me regarde dans les yeux, il me fixe avec intensité. Alexis traduit.

— Tu as peur de quelque chose en toi.

— Comment ça, peur, peur de quoi, Ricardo ?

— Je ne sais pas.

— Mais c'est quoi, cette peur ?

— Je ne sais pas, j'ai vu cette peur en toi cette nuit, ajoute-t-il avant de se mettre à rire.

Puis, le regard soudain à nouveau très sérieux :

— Je vais continuer à travailler sur toi, ça va peut-être venir en rêve…

Couleurs chaudes, bruits de klaxons, odeur de diesel. Iquitos. J'ai quitté le centre de Guillermo pour m'inscrire à la conférence qui débute le jour même. Elle se tient dans un grand hôtel avec piscine situé à l'entrée de la ville. Retour dans la foule, dans la circulation, dans le jeu des hommes. Partir de la forêt est comme refermer une parenthèse. Je dois reconnaître que ces premières nuits d'ayahuasca sont très différentes de ce que j'attendais. Je voulais que ce soit calme, doux, que je puisse être spectateur, observer à distance. À l'inverse, je suis broyé, secoué, et je ne vois rien, ne comprends rien, ignorant la direction que prend l'expérience. Et c'est physiquement désagréable. J'en viens à douter de pouvoir obtenir par ce biais ce que je cherche : voir Thomas. Je suis découragé.

La conférence a lieu dans l'enceinte de l'hôtel, sous une gigantesque tente. Les intervenants, originaires de toute l'Amazonie, essentiellement des chamanes de différentes traditions, alternent avec des chercheurs, des scientifiques, des psychologues, des médecins, venus d'un peu partout dans le monde. L'ambiance est studieuse et néanmoins détendue, les pauses longues, permettant les rencontres, de nombreux échanges, des discussions passionnantes. Me retrouver dans cette atmosphère familière de recherche, de science, de réflexion intellectuelle favorise encore un peu plus ma prise de distance avec les expériences des nuits précédentes. Lors d'une interruption, je téléphone à ma femme.

— Je suis à Iquitos, je viens de passer trois jours dans le centre de Guillermo.

— Comment ça s'est passé ?

— Je vais sans doute arrêter, lui dis-je, c'est trop dur, je ne dois pas être fait pour l'ayahuasca.

— C'est difficile ?

— Oui, vraiment...

— Tu veux qu'on en parle ? Je peux te rappeler dans quelques minutes, je suis en train de coucher Charles ?

— Oui, bien sûr, à tout de suite.

Le temps que Natacha dise bonne nuit à son fils, dix minutes s'écoulent et mon portable sonne. Mais avant que je ne me lance dans le récit de ces derniers jours, c'est elle qui a quelque chose à me dire.

— J'étais dans la chambre de Charles quand tu as appelé, alors il m'a demandé comment ça se passait pour toi. Je lui ai dit que tu allais sans doute arrêter, que c'était trop difficile. Stéphane, il faut que je te dise ce qu'il m'a répondu. Il a eu un air absent, en même temps très sérieux, concentré, et m'a dit : « Il devrait continuer parce que les trois plaquettes qui sont là – il me montrait le plexus – vont partir et ensuite ça ira mieux. » Texto ! Il m'a vraiment surprise, il était très sérieux, tu sais.

— Mes plaquettes ?! Ça veut dire quoi ?

— Je n'en sais rien, c'est ce qu'il a dit, qu'il fallait que tu continues parce que ça allait t'aider à te débarrasser de tes plaquettes...

— C'est bizarre...

— Oui, très bizarre...

— Mais qu'est-ce que tu lui avais dit ?

— Rien d'autre que ce que tu m'as dit, et je le lui ai présenté sur le ton de l'humour : « C'est difficile pour Stéphane, il vomit beaucoup et va sans doute arrêter ! » C'est tout. Il a eu tout de suite ce regard dans le vague et m'a dit ça avec beaucoup de conviction.

Nous poursuivons la discussion, je détaille mes trois expériences, ce qui ne fait que renforcer la stupeur de Natacha. Je raccroche, assez interloqué : Charles a neuf ans.

Je fais quelques pas parmi la foule assistant à la conférence, et voilà Guillermo devant moi. Il a quitté le centre dans l'après-midi pour venir prendre la parole. Un mince sourire énigmatique au coin des lèvres, il me regarde. Jan est avec lui et je raconte par son intermédiaire à Guillermo ce que Charles vient de dire à sa maman. Guillermo rigole et lance :

— C'est drôle, c'est toi qui bois l'ayahuasca et c'est lui qui a les visions.

Jan sourit à son tour. Peut-être devrais-je poursuivre l'expérience, finalement.

La chamane Norma Panduro est à la tribune :

— Vomir est une métaphore de notre purification. La liane d'ayahuasca est ce qui soigne, les feuilles de *chakruna* ce qui provoque les visions, augmente notre conscience, et induit des états de rêve éveillé. L'ayahuasca détecte nos mensonges, c'est le meilleur psychiatre qui soit. C'est aussi une machine à voyager dans le temps.

Un autre chamane, Roberto Merinho, a pris la place de Norma Panduro et parle de son expérience :

— On peut voir les esprits, mais pas de la façon dont on voit les choses de notre monde. Ce sont des présences qui peuvent se manifester aussi sous forme humaine. Quand je vois ou parle à des esprits, je suis dans un état second et je ne vois pas quelque chose de précis, je sens.

Tout est différent de ce que j'imaginais, moins visuel, moins simple, moins magique. Ce voyage est beaucoup plus impliquant que je ne le prévoyais. Je dois faire moi-même l'expérience. Guillermo parle de dimensions, d'entités auxquelles je peux avoir accès si je m'implique tout entier. Je ne comprends pas pourquoi j'ai peur. De me perdre ? Mais je ne vais pas disparaître ! Je ne peux pas mourir ou perdre la raison ! J'ai peur de ne plus rien contrôler, évidemment, pourtant il faut que j'accepte ce vertige. Il faut que j'aie confiance quand l'esprit de la plante vient me saisir, parce que c'est vraiment ce qui se passe. Le vertige commence et les chansons m'emportent. Je décide de boire à nouveau l'ayahuasca. Ce soir.

Il me faut apprendre à voir.

« Les sorciers disent que nous sommes dans une bulle. C'est une bulle à l'intérieur de laquelle on nous met dès la naissance. Au début, la bulle est ouverte, puis elle commence à se fermer, jusqu'à ce que nous soyons scellés en elle. Cette bulle, c'est notre perception. Nous vivons à l'intérieur de la bulle pendant toute notre vie. Et tout ce dont nous sommes témoins sur ses parois rondes correspond à notre propre reflet [1]. »

---

1. Carlos Castaneda, *Histoires de pouvoir*, Gallimard, « Folio essais », 1993, p. 239.

22

Apprivoiser l'ombre

Je retrouve le centre et la forêt, plein d'appréhension. Il fait très chaud et très humide au début de ma quatrième session. La fin d'une averse sur les toits de feuilles. Nuit, *maloca*, verre, goût terrible, je me rince la bouche et crache l'eau dans mon seau. Je ne vomis que deux fois cette nuit-là. Il me semble que j'arrive à garder la maîtrise des choses. Je reste assis, le dos contre le mur de planches, parce que j'ai remarqué qu'allongé, c'était plus pénible : le monde rampe et je suis sous son emprise, des choses indéfinissables grouillent, le vertige me fait alors perdre la tête. J'ai quelques visions au début, fugaces. J'aperçois des filaments émanant de mon corps, entre mon ventre et mon plexus. Ils bougent comme de longs et fins tentacules d'anémone. Je m'observe avec curiosité. Puis l'effet se dissipe progressivement, la nuit m'envahit. Je m'endors dans la *maloca* et n'émerge qu'à l'aube.

Avant le soleil, la lueur du jour inonde l'espace sacré. Enroulés dans leurs couvertures, d'autres participants ont également passé leur nuit ici. Je me redresse et réalise que j'ai vu des serpents dans mes visions. Pendant les *icaros*, les chansons, je voyais des formes très longues onduler. Comme le corps de serpents immenses, sans tête, des corps enchevêtrés, glissant les uns contre les autres en une masse compacte. J'ai eu cette vision plusieurs fois. Et mon sommeil a été rempli de rêves. Nouvelle expérience dont la finalité continue de m'échapper, pourtant accompagnée du sentiment qu'un nettoyage se poursuit.

Retour à Iquitos dans l'après-midi pour la suite des conférences. Dennis McKenna, neurobiologiste, frère de Terence McKenna, tous deux grands spécialistes et explorateurs des « paysages invisibles de l'esprit [1] » :
— Nous faisons l'expérience d'un modèle de réalité, pas de la réalité. Nous vivons dans une hallucination qui nous permet de survivre. On ne peut pas changer de réalité, mais on peut changer la nature des informations qui nous font construire notre modèle de réalité.
Un intervenant parmi le public :
— Les entités que l'on croise font partie de nous. Savoir si ces êtres sont réels ou non est devenu une non-question.

Discussion autour du concept d'archétype avec Frank Echenhofer, professeur de psychologie clinique au California Institute of Integral Studies

---

1. Terence et Dennis McKenna, *The Invisible Landscape*, Harper-Collins, 1993.

de San Francisco. « Archétype », ce terme utilisé en psychologie par Jung sert à désigner un symbole primitif et universel de l'inconscient collectif. Les expériences vécues sous ayahuasca semblent être de nature archétypale, c'est-à-dire issues non plus de nos propres inconscients individuels et culturellement marqués, mais d'un inconscient commun à l'ensemble de l'humanité. Ce qui expliquerait la similitude plus que frappante de nombreuses visions.

Alors que les débats reprennent, cette idée tourne dans ma tête : évoquer la notion d'archétype pour expliquer telle ou telle vision nous éloigne de l'expérience elle-même. Fixer une forme aux visions qui jaillissent empêche de vivre pleinement les rencontres que l'on fait lors de ces expériences. C'est vouloir mettre de la logique, du mental, intellectualiser des expériences et des énergies qui ne font pas partie de notre monde. « Un guerrier traite le monde comme un mystère infini, et ce que les gens font comme une folie sans bornes[1]. » Je me demande si les archétypes ne sont pas en fait des freins à une complète intégration. Leur emploi propose d'aider à comprendre alors qu'ils donnent une forme à des perceptions qui ne peuvent être décrites, mentalisées. Ils cristallisent un phénomène individuel qui n'a de sens que dans l'intime. Une expérience subjective. Chercher le sens constitue un refus d'intégrer, plutôt qu'une explication. C'est curieux que je me mette à penser des choses comme ça, moi !

---

1. Carlos Castaneda, *Voir. Les enseignements d'un sorcier yaqui*, Gallimard, « Folio essais », 1973, p. 283.

Le lendemain soir, j'arrive sous la pluie et un peu avant la nuit au centre de Guillermo. Ricardo finit de préparer de l'ayahuasca derrière la *maloca*. Je le salue, il m'accueille d'un grand sourire, ses yeux regardent un autre monde. Je m'approche du feu pour sécher mon pantalon trempé par la longue marche que je viens de faire. Le breuvage cuit depuis le matin. Ricardo plonge un bâton dans le fond sirupeux de la bassine, le remonte. De l'index et du pouce il touche le liquide qui l'imprègne et porte ses doigts à ses lèvres.

— *Está bien !*

Le temps que la mixture refroidisse, je vais m'étendre dans l'un des dortoirs et me laisse gagner par la somnolence. Un groupe important est venu d'Iquitos pour la cérémonie de ce soir, pour l'essentiel des participants à la conférence. Frank Echenhofer est là, Dennis McKenna et sa fille également. La *maloca* est pleine. Je trouve une place à côté de Ricardo. Cinquième session.

Les uns après les autres, les participants se lèvent et viennent recevoir un petit verre d'ayahuasca des mains du chamane. Je les observe s'asseoir devant Guillermo. En tailleur, sur les genoux, accroupis, tous marquent un temps d'arrêt, se recueillent quelques secondes à l'instant où leurs doigts se referment avec délicatesse sur le verre froid. Puis, d'un geste rapide, ils le portent à leurs lèvres et le liquide opaque, la plante, la *madre* (la mère), se mélange à eux. Ce soir je suis le dernier, et je suis traversé de spasmes en attendant que mon tour vienne. Mon corps réagit avec énergie à la seule perspective de boire à nouveau deux gorgées d'ayahuasca. Je ne suis pas maître de ces soubresauts d'appréhension. Longs frissons de répulsion, secousses de peur.

Mon tour vient, c'est dur.

Je ne vomis pas une seule fois de toute la nuit. Dans les premiers instants, j'ai la sensation de présences. Je distingue des ombres, des personnages. Alexis, le jeune Américain, est à ma gauche et un moment je crois vraiment voir une ombre avec un casque de cheveux dont je n'aperçois pas le visage, accroché à sa jambe. C'est si réel que je me penche vers lui et tâte l'endroit avec ma main pour me rendre compte... qu'il n'y a rien sur la jambe d'Alexis. Rien que je ne puisse toucher. À plusieurs reprises sur ma droite, je vois une dame, je présume que c'est une dame, lumineuse et toute blanche. Est-ce l'encadrement de la porte éclairé par la lune que je prends pour une femme ? Mais pourquoi alors est-ce que je la vois aussi en d'autres endroits ? Durant les *icaros*, se déploient les serpents, de longues ondulations de serpents.

Je suis assis, dans l'ivresse de la plante, en tailleur, le dos droit, et je me sens bien. Je sens que l'effet de l'ayahuasca va être fort. Ma tête tourne comme lors de cette nuit si difficile, mais je respire et je parviens à ne pas être submergé. J'ai vraiment le sentiment de voir des ombres. De la main droite, je me serre le poignet gauche, puis l'inverse. Sensation que chacune de mes mains est dissociée, que je suis double et qu'une partie de moi peut faire du mal à l'autre. Assis, je regarde mes bras comme si j'étais en dehors de mon corps. La nature double de ma personnalité est assez tangible à ce moment-là.

Dans les fenêtres de moustiquaire, dans le noir du plafond, partout où je regarde je vois des formes, des visages avec des motifs stylisés qui m'évoquent vaguement le Japon. Dans l'obscurité de la *maloca* apparaissent d'innombrables figures qui bougent, vivent, se déplacent. Des motifs géométriques incas, plus droits et réguliers que les dessins shipibo. Je remarque que c'est davantage durant les chants que mes visions se présentent, mais ces visions se succèdent trop rapidement, impossible d'en observer ne serait-ce qu'une calmement. Chaque image qui apparaît me fait penser à autre chose et aussitôt une nouvelle image s'impose, et ainsi de suite. Impossible de revenir en arrière. Tout va extrêmement vite, je suis incapable de maîtriser le flot incessant de mes pensées. J'essaye de les concentrer sur Thomas, je vois des choses indéfinies, mais lui, jamais. Je pense à l'accident. Et la douleur monte alors que je vois l'image de son crâne ouvert, de son sang sur le sol. Ce n'est pas une vision, mais une pensée. Le ballet des visions se poursuit.

Soudain, j'ai devant les yeux le dos nu et tatoué d'un homme. Les dessins sur sa peau m'évoquent à nouveau le Japon, c'est ondulé et rouge. Curieusement, lors de certaines visions, devant ce dos par exemple, je me trouve très près, comme si mes yeux étaient collés à quelques centimètres de sa peau, à tel point que je ne peux voir la totalité de la forme que j'observe. J'ai exactement la même sensation lorsque m'apparaissent des visages. Ils sont gigantesques, et moi minuscule et tout près. Ou encore cette tête de loup, cette mâchoire sauvage, puissante et familière. Je ne la vois pas dans son ensemble comme si j'observais l'animal à quelque distance, je suis collé contre sa mâchoire, à quelques millimètres de ses canines luisantes, tout contre, *dedans*. Dans la mâchoire du loup, dans le loup. *Je suis le loup !*

Soudain le dos tatoué s'irise au rythme des chants et je réalise que c'est son reflet que je contemple. Un reflet dans de l'eau. Apparence. Voilà qui est important : les choses ne sont que des apparences, il me faut garder ça à l'esprit. Dans la vie en général mais également dans l'expérience que je suis en train de traverser cette nuit. Je ne vois que des reflets, des apparences à la surface de l'eau. Je regarde ce seau de bois rempli d'eau. Un seau fait d'épaisses lattes de bois clair. Je m'approche. L'eau est transparente, elle vibre, alors un mandala d'or apparaît au fond du seau. Un mandala de lumière en relief et *vivant*, vers lequel je suis attiré, je m'approche encore, je plonge dans le seau et l'expérience devient indescriptible.

Au matin, plusieurs images retiennent mon attention. Ces mâchoires tout d'abord. J'ai vu beaucoup de mâchoires, de dents. Visions de l'intérieur. Une des premières était une mâchoire dont les dents ressemblaient à des motifs incas, sans vraiment d'ouverture, juste des motifs. Une succession de visages m'est apparue également, toujours de très près, avec de grands yeux. Chaque visage se fondant dans le précédent.

Assis sans appétit devant un bol de café, il m'est vraiment difficile de tout me rappeler. C'était tellement rapide. Mais cette nuit a été la meilleure de mes cinq expériences, j'ai la satisfaction profonde d'avoir pu maîtriser mon malaise physique. À un moment j'ai très fortement senti une présence sur ma gauche, aussi lui ai-je demandé d'aller me chercher Thomas. Une cascade de visions sans rapport a suivi. J'ai pourtant senti cette présence. Indéfinie, non identifiée, mais forte. Souvenir également de centaines de petits points noirs, comme des milliers de fourmis suivant un itinéraire précis. Dennis McKenna :

— Une vision, c'est voir son esprit et savoir que ce que l'on voit est comme une projection, un état de perception différent. C'est plus dans la façon de voir. C'est contempler quelque chose en étant au fait de sa nature.

Marche dans la forêt silencieuse sous le soleil et dans la brise, village au bord de la route, gamins rieurs, route goudronnée, taxi collectif, Iquitos, conférence. McKenna pense que l'esprit détecte la conscience, comme les yeux sont des détecteurs de lumière, il ajoute que nous avons dans notre esprit un détecteur de Dieu. Un appareil – le cerveau – qui permet de détecter des choses invisibles.

— La sagesse n'est pas dans les livres mais dans ce que l'on fait après avoir lu les livres. L'erreur dans les années 60 est d'avoir cru que la sagesse était dans les drogues, alors qu'elle est dans ce que l'on fait après avoir pris des drogues.

Benny Shanon est professeur de psychologie cognitive et ancien directeur du département de psychologie de l'Université de Jérusalem. Voilà des années qu'il conduit des recherches sur les états particuliers de l'esprit induits par l'ayahuasca. Il est l'auteur de l'enquête la plus étendue sur ses effets, dans la perspective de la psychologie cognitive[1]. Il fait cette remarque qui me stupéfie, et qui alimente ma réflexion sur la nature des visions :

— Les éléments que l'on retrouve le plus dans les rêves apparaissent statistiquement dans 5 % des rêves. Avec l'ayahuasca, les serpents par exemple apparaissent dans 90 % des cas !

Benny Shanon confirme dans sa présentation que l'ayahuasca déclenche un ensemble très riche de visions extrêmement similaires et totalement indépendantes de la culture et de l'origine des personnes qui absorbent la plante. Comment expliquer la cohérence stupéfiante de cet univers des visions alors que les rêves sont, eux, le reflet de l'inconscient de chaque individu ?

Un étudiant américain se lève, désireux de partager une anecdote avec les participants de la conférence. Il s'appelle Carlos et raconte que lors de sa deuxième expérience d'ayahuasca, il a senti une main sur son épaule, en plein milieu de la session. Il a vu alors un homme à sa droite, il s'agissait d'une vision. Soudain, une femme participant à la cérémonie et assise de l'autre côté de la *maloca* s'est adressée à Carlos et lui a dit qu'elle était effrayée par un homme qu'elle apercevait debout à côté de lui. Pourtant la *maloca* était plongée dans le noir. Carlos, qui ne sentait pas de menace de la part de cette « vision », l'a rassurée. Il s'est adressé alors à l'homme debout, et lui a demandé son nom.

---

1. Benny Shanon, *The Antipodes of the Mind*, Oxford University Press, 2002.

Quand l'homme a répondu, Carlos a réalisé qu'il le connaissait : c'était un ami d'enfance qui s'était suicidé plusieurs années auparavant. Carlos nous dit qu'il n'avait pas pensé à lui depuis des années. Comment deux personnes différentes peuvent-elles *voir* le même homme quand l'une des deux ne le connaît même pas ? Et que cet homme est mort depuis des années ?

Taxi collectif, arrêt au kilomètre 14, marche sur le sable, forêt, sixième session. Je vois des ombres, impression que Guillermo et Ricardo font un gros travail sur la mort. Nuit assez confuse. Je vois ces points noirs qui grouillent et ces lianes, ces serpents qui ne cessent de glisser. Je distingue des ombres, de petites entités sombres autour des personnes allongées dans la *maloca*. Le monde des morts me frôle mais reste partiellement invisible à mes yeux. Je ressens cela avec force.

Retour à Iquitos. J'ai sur mon portable un message de ma fille. Il remonte à ce matin, pleine nuit pour moi. Alors qu'elle était avec sa mère en voiture pour aller au cinéma, elle a soudain demandé à sa maman si je pouvais mourir. Une peur qui se réveille en elle, une sensation, une crainte liée à la mort et à moi. Lorsque son oncle est parti, la réalité de la mort a été catapultée dans son existence. Plusieurs années ont passé et aujourd'hui elle n'exprime plus d'anxiété particulière. Sa remarque tombe sans prévenir. Je la rappelle aussitôt.

Je parle à sa mère d'abord, qui me dit qu'elles étaient en train de se garer lorsque subitement Luna a pensé à ma mort, son regard est devenu vague, ajoute-t-elle, absent, comme si elle était tout entière absorbée par ses ressentis intérieurs. Sans aucune raison apparente, Luna s'est mise à penser à cela. À la mort. À son papa, pleine d'inquiétude. Elle prend le combiné et j'entends sa voix dans l'écouteur, la voix de ma fille. Être son père me remplit de fierté et de bonheur. Elle n'est semblable à personne au monde, je l'aime et l'admire au-delà de ce que les mots peuvent décrire. Elle est tout. L'amour le plus pur, le plus instantané, le plus indiscutable. Et ce matin, malgré la distance, je sens ce poids qu'elle a sur le cœur.

Luna sait ce que je suis venu faire ici, mon enquête, ma recherche, mes questions. Je la rassure, lui décris Iquitos, le centre, avec humour et légèreté, lui parle des animaux que je vois, du singe adopté par Ricardo et qui s'enroule contre mon cou, du perroquet qui joue avec lui, des dauphins que j'ai vus s'ébattre dans l'eau tumultueuse de l'Amazone. Et soudain je réalise qu'elle a eu cette sensation alors qu'au Pérou nous étions au cœur de la nuit, et que c'était précisément le moment où Guillermo essayait de me faire voir mon frère. Je le dis à Luna : elle a probablement senti le travail que Guillermo fait pour moi, qu'avec son aide j'essaye d'aller dans le monde des esprits afin de voir Thomas. Alors, je sens que sa sensation du matin devient subitement normale, simple conséquence, même si elle reste inexplicable, de ce qui nous relie elle et moi. Tandis que je traversais des états très puissants, que j'étais ballotté sur la frontière du monde des esprits, que je bataillais avec mes peurs, mes fantasmes, mes obsessions et que l'idée de la mort était constante et puissante tout au long de la nuit, ma fille a sans doute perçu ce tumulte et cela a réveillé ses craintes. En parler l'apaise, réaliser que ce lien invisible nous unit, juste elle et moi, transforme une peur en un petit quelque chose de spécial, de rare, d'unique, de merveilleux. Sa voix s'est transformée, elle est joyeuse.

Depuis qu'elle est toute petite, je parle avec ma fille, je tente de lui expliquer ce que je découvre. Lorsque je suis revenu en France à la mi-avril 2001 avec le corps de son oncle dans une boîte en bois, elle avait trois ans et demi. Je me suis assis par terre dans l'atelier de ma mère où nous avions posé le cercueil, et ma fille est venue s'asseoir entre mes jambes. Je l'ai prise dans mes bras, je ne sais plus ce que je lui ai dit alors, je ne sais plus. Dans les années qui ont suivi, nous avons parlé. J'ai consolé ses larmes lorsque parfois un souvenir surgissait dans la nuit pour envelopper ma petite fille de tristesse. Comme ce soir d'été où nous étions en haute montagne, dans les Pyrénées. Elle était couchée et je la croyais endormie, lorsque je l'ai entendue m'appeler.

Je reviens m'assoir sur son lit, je sens bien que quelque chose est coincé, il aura fallu l'obscurité, la nuit est maintenant tout à fait tombée, pour que ça veuille sortir. Nous discutons un peu, puis la peine explose dans son petit cœur.

— Thomas me manque, je voudrais qu'il soit là avec nous, pas qu'il soit mort.

Je la prends dans mes bras, elle est silencieuse d'abord, puis ses mots sortent, et elle exprime ce qu'elle ressent par rapport à Thomas, cette absence, incompréhensible pour une enfant. Je l'écoute, je suis heureux que nous puissions aborder ce sujet ensemble avec simplicité. Les mots viennent souvent d'eux-mêmes. Ce soir-là, je lui raconte ce qui est arrivé à Simon, revenu du Tibet peu de temps auparavant. Son ascension épuisante d'un glacier, le petit cairn qu'il a construit à cinq mille mètres d'altitude, et ces deux papillons qui sont apparus de nulle part et se sont posés dessus, exactement comme cela s'était déjà produit sur le lieu de l'accident. Je vois le regard de ma fille partir sur le côté, la scène se matérialiser dans son esprit, et une partie de sa douleur s'envoler.

— Mais pourquoi il vient pas me voir, moi ?

Le lendemain, nous partons tous les quatre dans la montagne, Natacha, son fils Charles, ma fille et moi. Avant le déjeuner, je propose à Luna de monter vers les neiges éternelles, une sacrée escapade. Sa tristesse est toujours là. Je sens qu'être tous les deux est important. Nous commençons la marche, main dans la main. Nous grimpons en ligne droite. Bientôt, Natacha et Charles ne sont plus que des points minuscules près du ruisseau, puis nous ne les distinguons même plus. De loin en loin, les izards détalent à notre approche. Des rafales de vent balayent la vallée. Et c'est le moment que choisit un petit papillon pour apparaître devant nous. Le seul et unique que nous ayons aperçu aujourd'hui. Il se fait secouer par le vent violent, pourtant il reste là, virevoltant autour de ma fille. Elle le suit des yeux en tournant sur elle-même, jetant par moments un regard amusé vers moi. Je lui fais remarquer la coïncidence. Sur son visage aux joues rougies, je lis la surprise, la joie. Le ballet du papillon se prolonge, il ne semble plus vouloir nous quitter. Puis il se rapproche encore, et se pose… sur la main de Luna. Elle ouvre des yeux ronds, l'émotion est forte. J'en ressens la puissance jusque dans mon corps. Je lui suggère de confier peut-être à ce papillon ce qu'elle aimerait dire à Thomas. Il ouvre et ferme ses ailes, posé sur sa petite main. Elle l'approche de ses lèvres, et lui murmure une longue phrase. Alors le papillon s'envole. Disparaît, vraiment ! On ne le voit plus. On le cherche du regard, sans succès, et nous reprenons l'ascension, habités tous les deux d'une drôle de sensation, comme une ivresse de bonheur. Nous n'avons pas fait dix pas que le papillon reparaît, et se pose à nouveau sur la main de ma fille. Nouveau frisson. Il reste là, comme s'il attendait quelque chose. Alors, Luna lui parle à nouveau, le remercie d'avoir porté le message. Il bouge ses ailes, reste un instant encore, puis s'envole. Il ne revient plus.

Nous montons nous asseoir à côté d'un névé, regardons la vallée, les deux chaînes de montagnes escarpées qui la bordent, un groupe d'izards que nous n'effrayons plus qui grignotent des touffes d'herbe rase à vingt mètres, le vent nous caresse. Nous redescendons de la montagne le cœur léger, les yeux brillants, impatients de raconter l'histoire du papillon à Charles et Natacha. Ce jour-là, nous n'avons pas décidé de la réalité de quoi que ce soit, nous avons accepté avec émotion ce que la vie nous offrait. Le vol d'un papillon qui avait servi de messager à ma fille. Ou à mon frère ?

— Papa, je pense que la vie, c'est comme un long rêve et qu'on se réveille au moment de la mort.

De lourds nuages s'amoncellent au-dessus de l'Amazone. La conférence s'achève. Elle m'a permis de mieux saisir ce que je vivais chaque nuit lors des sessions. Je suis arrivé au Pérou avec une idée très simpliste, puérile, de ce que peut être l'usage d'une substance psycho-active. Après quelques semaines, six expériences et pas mal de rencontres, je commence à comprendre. Avec l'ayahuasca, c'est un nouveau sens qui est activé en nous, mais au même titre qu'il nous faut des années pour acquérir la maîtrise de nos cinq sens, ce nouvel outil demande une longue acclimatation. En tout cas pour moi. Cet outil se combine à la vision et à l'ouïe tout en restant indépendant. C'est un peu comme si, en ingérant une substance, un aveugle avait la possibilité de voir durant quelques instants très brefs. Il lui faudrait du temps pour commencer à maîtriser et à intégrer ces formes visuelles inondant soudain son cerveau.

L'ayahuasca ouvre des portes dans notre inconscient dont il vaut mieux savoir sur quoi elles donnent. Pour moi, ces expériences arrivent à un moment de ma vie où mon processus de questionnement est déjà bien engagé, où j'ai l'impression qu'un certain nombre de problèmes sont réglés et derrière moi. Voici plusieurs années que Thomas est mort. Je pense avoir soigné certaines des blessures ouvertes par cet accident, celles dont j'avais conscience. D'autres, qui font écho à des mémoires plus mystérieuses, se débattent encore et sortent certaines nuits dans des sursauts de mon estomac. Bousculent mes rêves. Me tordent le ventre. Bondissent avec sauvagerie. Je veux poursuivre cette exploration intérieure. Car je découvre qu'un autre monde de connaissance est à ma portée.

Avion de retour. Survol de la forêt, de la cordillère. Arrêt à Lima, océan Pacifique, redécollage vers l'Europe. Je regarde mon environnement différemment. La nourriture de l'avion me fait mal au ventre.

23

Ayahuasca, II

Pour paraphraser Freud, l'ayahuasca m'a donné le sentiment d'exposer mon inconscient à ciel ouvert. Une psychose passagère qu'il convient de judicieusement encadrer car elle offre tout autant la folie que la rédemption. « Ton point faible est de tenter de donner à tes certitudes une validité universelle[1]. »

Après sept mois, je retourne au Pérou pour jeter à nouveau de la lumière sur les ombres de mes mémoires. Et aussi, toujours, avec l'espoir d'apercevoir Thomas dans le chevauchement des mondes qui s'opère lors de ces nuits chamaniques. Je m'envole de Paris avec ma femme, Natacha, désireuse elle aussi de découvrir la *plante*.

Petite-fille de guérisseur, elle a un rapport évident et simple avec la nature et ses forces invisibles. Ce monde lui parle, elle sait l'entendre, elle *voit*. Natacha est très complémentaire de moi dans son

---

1. Carlos Castaneda, *L'Art de rêver*, Éditions du Rocher, 1994, p. 259.

rapport à la vie. Je dissèque sans cesse, questionne, réfléchis, pense à m'en fendre les tempes, quand elle a instantanément confiance en ce qu'elle ressent. L'expérience lui a montré depuis des décennies la justesse de son intuition. Elle porte en elle une puissance lovée, enroulée, discrète et parfois presque timide. Un aigle gigantesque qui se cogne les ailes dans ce grand corps de femme. Un être qui lorsqu'il se déploiera sera capable de tout, n'aura plus aucune crainte ni appréhension. Elle est cette force en devenir et, dans le même temps, sait accueillir la fragilité de ceux qu'elle aime. Natacha possède cette qualité rare de savoir faire grandir les personnes qui partagent sa vie, mais aussi celles et ceux qui la croisent ne serait-ce que quelques heures. Elle m'a fait devenir l'homme que je suis. Elle conduit son fils vers un avenir dont il saura se saisir avec force et étonnement. Elle observe la féminité éclore en ma fille, et l'accompagne avec tendresse. Elle conseille, elle protège, elle aime. Son rire est la vie même. Dans ses yeux je vois l'infini, l'absolu, la confiance. Depuis notre rencontre, lorsque nos regards se croisent, je sais qu'il y a là une porte. L'accès à une source, à l'origine de la vie, à une réponse. C'est impalpable et pourtant familier, proche, accessible, à condition de s'y abandonner. J'aime la prendre dans mes bras, alors je l'embrasse, j'enfouis mes lèvres dans sa peau, la serre, plaque mes mains sur son dos et sens tout son corps contre le mien, ses seins, son ventre, ses cuisses. Et là, nous devrions normalement nous dissoudre, nous mélanger, être juste un, mais nous avons ici deux corps distincts qui nous séparent encore. Et nous restons l'un contre l'autre, et nous

savons tous deux avoir été autre chose, ̣ ̣ ̣ ̣
autre temps, bien au-delà.

Je recule la tête, je la regarde dans les ye̱
tant à nouveau d'y apercevoir ce qui ne c̣e̱s̱s̱e̱ ḏe̱
nous échapper.

Je suis amoureux d'elle.

Quelques aménagements ont été faits dans le centre de Guillermo. C'est l'hiver en France et ici le soleil éclate. Il fait très chaud. Nous arrivons à pied, sur le long chemin de terre et de sable, puis sous le couvert des grands arbres. C'est drôle, le sentiment que j'ai en retrouvant cet endroit : je reviens au présent !

Nous posons nos affaires dans une hutte de planches ouverte sur la forêt. Deux lits grossiers, deux matelas humides coiffés d'une moustiquaire, dans une construction seulement fermée d'un fin grillage censé empêcher insectes, moustiques et autres animaux de pénétrer sous le toit de palmes. Un hamac est tendu devant la porte.

La nuit tombe, mon septième rendez-vous approche. « À ce moment du jour, au crépuscule, il n'y a pas de vent. À cette heure du jour, il n'y a que du pouvoir[1]. »

Je rejoins la *maloca* seul, Natacha ne boira pas ce soir et préfère rester dans notre hutte pour dormir. J'ai une énorme appréhension, je ne me sens pas bien. Dans l'obscurité de la nuit, alors que les chamanes s'installent, je suis à deux doigts de ressortir, tant j'ai peur. « Lorsqu'un homme commence à apprendre, ses objectifs ne sont jamais

---

1. Carlos Castaneda, *Le Voyage à Ixtlan*, Gallimard, 1974, p. 98.

...airs. Son dessein est vague, ses intentions imparfaites. Il espère en tirer un bénéfice qui ne se matérialisera jamais, dans son ignorance des difficultés de l'étude. Il commence ensuite lentement à apprendre – par petits fragments d'abord, puis par vastes pans. Bientôt ses pensées se heurtent, ce qu'il apprend n'est pas ce qu'il avait imaginé, cela n'a pas l'aspect qu'il attendait, il prend peur. Le savoir est toujours inattendu. Chaque étape soulève une nouvelle difficulté, et la peur commence à envahir l'homme, impitoyable, opiniâtre. Il devient comme un champ de bataille. Il vient ainsi de buter contre le premier de ses ennemis naturels : la peur. C'est un ennemi terrible – traître, difficile à surmonter, toujours caché au détour du chemin, à vous guetter. Et si, terrifié par sa présence, il se sauve, son ennemi aura mis un terme à sa recherche[1]. »

Je trouve la force de rester.

Thomas ! J'ai quelque chose à sortir. Je ne sais pas quoi. Un truc au fond de moi, Quelque chose qui me prend la poitrine et qui fait venir les larmes. Quelque chose qui m'oppresse. Que je ne peux exprimer à personne. Je n'y arrive pas, je ne peux pas me confier, vivre cette douleur avec quelqu'un d'autre. Et je crois que je n'aimerais pas. Thomas est mort et je suis là, à y penser tout le temps. Thomas est mort parce qu'il est venu avec moi en Afghanistan. Thomas, Vadim, Hakim et Siddiqui sont morts. Ils ont suivi en confiance et ils sont morts. Ils avaient confiance en moi et ils

---

1. Carlos Castaneda, *L'Herbe du diable et la petite fumée*, 10/18, 1985, p. 86.

sont morts. C'est ça que je ne sais comment porter. Qui me ronge. Et les images de l'accident sont là, à jamais.

À nouveau ce petit verre dans la main, ce goût qui coule dans la bouche, sur ma langue, imprègne ma gorge, se mélange à ma peau, glisse en moi, moi secoué de spasmes incontrôlables. Retrouvailles avec la sensation d'ivresse, la tête qui tourne. Mes visions sont rares mais beaucoup d'images virevoltent dans mon esprit. Images de violence, de guerre. Plus fortes que d'habitude, pas habituelles, des souvenirs, et d'autres qui n'en sont pas. Qui sont quoi, alors ?

Au milieu de la nuit, je sors de la *maloca* en chancelant, le corps engourdi et ivre, mais l'esprit alerte, et je marche jusqu'aux toilettes. Je m'assieds, regarde à terre, mes pieds laissent des traces de sable sur le sol de béton. Et dans ces traces apparaît une somptueuse fresque bouddhiste. Plusieurs personnages la composent. Ce sont des déités féminines, des *daïkinis* vert clair, presque phosphorescentes. Elles sont vêtues de voiles légers, portent des bijoux aux poignets, au cou, aux chevilles. Elles dansent, font des mouvements symboliques des bras et des jambes tandis que leurs mains tracent dans l'air des signes magiques. Leurs yeux me regardent en se plissant de plaisir et d'espièglerie. L'une d'elles a la forme d'une Tara verte. La Tara verte est une déité protectrice dans le panthéon bouddhiste tibétain. Elle représente celle qui aide à franchir les difficultés de la vie. Le vert est la couleur de l'activité éveillée et de la compassion. Cette fresque est magnifique. Mais qui a bien pu la peindre sur le sol des toilettes ? Je n'ai rien vu hier, et c'est de la peinture, j'ai beau passer le pied dessus, rien ne s'efface, c'est bien là. Mais c'est tout de même curieux que ça vive, que ça bouge. Je les contemple un très long moment, le menton dans les mains, ébahi et presque subjugué par ces figures délicates.

À l'aube, je retourne aux toilettes afin de revoir ce dessin si beau : il n'y a au sol que des traînées de sable, pas de peinture, pas de fresque, juste l'écho d'une impressionnante vision.

Cette même nuit, Natacha fait un rêve dans lequel elle se voit en train de dormir dans notre hutte, dans la position où elle se trouve réellement, lorsqu'une entité apparaît dans son dos. C'est une forme, à la carrure imposante, de couleur marron et à l'aspect translucide. Natacha distingue une tête, des épaules, des bras puissants et la forme d'un tronc vaporeux pour le bas du corps. L'entité s'approche, puis glisse ses bras sous elle et la soulève. La sensation est si physique qu'elle se réveille en sursaut dans la position exacte qu'elle avait dans son rêve, dans la même hutte, dans la même forêt. Elle s'est sentie soulevée, elle a senti ces bras sous son corps ! Elle en est certaine. Les yeux grands ouverts, le cœur cognant dans la poitrine, elle regarde sa montre : 23 h 30. Elle hésite à sortir nous rejoindre et finalement se rendort.

L'après-midi précédent, nous avons ingéré tous deux notre « plante maîtresse ». *Piñon colorado* pour Natacha, *chaï* pour moi. Les plantes maîtresses sont des plantes le plus souvent médicinales que les chamanes utilisent afin d'obtenir des connaissances. Ils les décrivent comme possédant un esprit puissant, capable d'enseigner aux hommes. Ces plantes sont, avec la diète et le breuvage ayahuasca, au cœur des rituels chamaniques amazoniens. Guillermo les a choisies après que nous lui avons expliqué ce que nous sommes venus chercher ici. Ce sont des plantes enseignantes, elles vont nous aider, dit-il.

Natacha me raconte son rêve, assise sur le lit. J'émerge de ma nuit, la bouche sèche, me tourne vers elle, le drap est humide, le coussin est humide, tout est humide et moite. Transpiration, chaleur, respiration de la forêt brûlante. Natacha est habitée par le récit de son rêve, elle est secouée, elle veut comprendre, il s'est produit quelque chose. Lorsque nous retrouvons Guillermo, ses yeux s'ouvrent de surprise. De sa voix légère, il lui dit que ce qu'elle décrit ressemble à l'esprit de sa plante. Il est impressionné qu'il soit venu avant même qu'elle ne prenne de l'ayahuasca.

On s'approche !

Les chamanes acceptent leur mort parce que la mort a toujours une raison. Chacun a droit au repos.

Huitième session. D'abord, il ne se passe rien, je me vide et mon esprit reste fermé. Je pense arrêter. Quel intérêt ? Puis je me dis qu'il ne faut plus que je cherche Thomas, mais que je travaille sur ma colère et ma tristesse. Que je règle ça. La colère, la peur, la frustration, ces sentiments qui me pourrissent la vie.

J'erre une partie de la nuit, l'esprit parcouru de mille pensées, puis, assez tard, sans que je sache vraiment l'heure qu'il est, assis le dos calé contre le mur, je remarque quelqu'un sur ma gauche, de l'autre côté de la *maloca*. Une petite personne qui pourrait être Maria, la mère de Guillermo. Je la distingue parce qu'il y a eu un flash de lumière, me semble-t-il, ou peut-être est-ce lorsqu'elle a allumé sa cigarette – durant les cérémonies, les chamanes utilisent beaucoup le tabac, une plante maîtresse. Je tourne la tête dans sa direction, la vieille femme me regarde. Yeux plissés, visage ocre éclairé d'une lueur fugace, cheveux noirs un peu en désordre.

Brusquement, et c'est très déconcertant, elle me fait une grimace. Ses traits deviennent ceux d'une bête. Puis, avec stupeur, je la vois s'élancer vers moi. Elle plonge sur le sol, se laisse littéralement glisser dans ma direction, son corps ondule avec une souplesse surnaturelle, vive, comme le ferait un lézard. J'écarquille les yeux, la bouche ouverte, le cou tendu, les mains posées à plat sur le sol. Est-ce que je vois bien ce que je vois ? Une petite vieille dame zigzague vers moi, son ventre effleurant le sol, ses bras et ses jambes tordus d'une manière impossible, transformés en pattes. Et elle semble s'effacer, se dissoudre dans l'obscurité, je ne distingue plus que la cigarette qu'elle a aux lèvres et qui serpente vers moi. Je ne bouge pas, je suis parfaitement conscient, la cigarette approche. Je suis confondu, mais curieusement pas effrayé. À cet instant, je suis certain de la réalité de la présence de cette femme. Certain. Sans l'ombre d'un doute. C'est parfaitement net, pas du tout comme une vision. Elle est là, le bout incandescent de sa cigarette continue d'avancer, il n'en finit pas d'avancer, de se rapprocher, de danser, de bouger, de fondre, de disparaître. C'est le moment le plus troublant de la nuit.

Au matin, nous croisons Ricardo et Maria. Je leur raconte. Ils se regardent.

— *Es la madre*, me dit Ricardo.

— *¿ La madre ?*

— *La madre de ayahuasca.*

Ricardo parle peu et lentement, détachant chaque syllabe avec application en insistant sur le a final du mot ayahuasca. Il rigole souvent, espiègle et sibyllin. Natacha et moi l'aimons beaucoup. La force qui l'habite est aisément perceptible, il me rassure, pourtant il reste discret, presque invisible au milieu du centre. Mais les nuits, dans la *maloca*, il passe des heures entières à chanter de sa voix aiguë, emporté par l'ayahuasca dans des univers innombrables. Ses yeux témoignent de ce qu'il a vu. Comme si ces autres mondes avaient laissé à jamais leurs reflets indescriptibles sur ses iris, dans le gouffre noir de ses pupilles. Cette vieille femme qui m'est apparue, me dit-il après avoir échangé quelques mots avec Maria, est l'esprit de l'ayahuasca. Qu'elle me soit apparue est de très bon augure, et cela éclaire le visage de Ricardo. Il ajoute que le fait qu'elle fumait lorsque je l'ai vue signifie qu'elle me soigne, et c'est aussi très bien. Cette vision me trouble beaucoup, parce que je sais que ce n'en est pas une. Je l'ai vue, cette vieille femme ! Je n'ai aucun doute sur le fait de savoir si elle était dans ma tête ou non : elle n'était pas dans ma tête ! Je l'ai vraiment vue. Et pourtant la

227

grimace, la transformation, le mouvement vers moi ne pouvaient être le fait d'un humain.

— ¿ *Tienes miedo* ? me demande Ricardo.

— Est-ce que tu as eu peur ? traduit Natacha.

— Non...

Et c'est vrai que malgré l'incongruité de l'épisode, j'ai été stupéfait mais pas effrayé un seul instant. Sa grimace était effrayante, et plus encore son étrange métamorphose, sa glissade, son mouvement vers moi, mais je n'ai pas eu peur.

J'ai été interloqué.

Plus tard dans l'après-midi me revient un autre souvenir de la nuit précédente : il m'a semblé voir des yeux. À ces yeux était attachée l'idée que Thomas était en train d'essayer de m'apparaître, qu'il y mettait toutes ses forces. Moi, je ne voyais que ses yeux, très confusément. Tout au long de la journée resurgissent des images des nuits passées, comme si ces souvenirs parvenaient enfin à ma conscience.

Natacha et moi marchons en silence dans la forêt. Natacha parle beaucoup avec les chamanes, les personnes qui travaillent dans le centre. Elle questionne, rigole, découvre, se nourrit, apprend. Nous allons voir les plantes maîtresses cultivées sur un endroit défriché en marge du centre, nous prenons beaucoup de notes. Dans mon cahier bleu, j'écris : « Il me semble que l'ayahuasca permet d'établir un langage commun entre les esprits et nous. Parfois deux personnes qui se parlent ne se comprennent pas, pourtant elles utilisent la même langue et des mots communs. Je me suis dit hier soir que les visions sont les mots de l'ayahuasca et que seuls les gens entraînés comme les chamanes peuvent comprendre correctement ce que les plantes disent. Les visions sont un langage. »

La nuit suivante, Natacha boit l'ayahuasca, pas moi. Je l'accompagne toutefois dans la *maloca* et m'y endors bien vite. Très tard, les yeux ouverts, elle a la vision du lieu de l'accident où est mort Thomas. Elle voit des os, un fémur, un squelette. Les ossements sont disposés de manière anarchique. Puis, subitement, ce tas désordonné prend la forme d'un corps. Alors un être apparaît qui arrive en marchant. Il est de la taille d'un enfant, un mètre vingt, trente tout au plus. Il a une sorte de combinaison grise. Son petit corps est maigre, ses bras fins, sans articulations. Sa tête a la forme curieuse d'un triangle aux arêtes saillantes et dures, et dont la base serait tronquée. Il a l'air gentil. Debout face à Natacha, il fait un signe de la tête en me désignant. Alors Natacha comprend que ce petit être ne vient pas pour elle mais pour moi. Il a un message à mon attention : « Merci pour le corps. » Le premier réflexe de Natacha est de traduire : « Merci de nous avoir rendu le corps », mais aussitôt elle pense plutôt à : « Merci de t'être occupé du corps. »

Neuvième session. Il ne se passe rien. Ni visions, ni vomissements, ni mal de ventre. Pas d'ivresse et pas de fatigue. Avant l'aube, nous regagnons notre hutte et je m'endors.

Je rêve : je suis avec une femme, une femme que j'aime d'un amour intense, et nous sommes séparés. Il y a la guerre. On attend la guerre. Je suis dans une rue. Il y a beaucoup de monde et l'on attend. Puis un avion survole la ville, il fait une boucle dans le ciel, descend et pénètre dans un bâtiment. Explosion. La guerre commence. Je ne suis plus avec ma femme, nous avons été séparés. La guerre se déroule, du temps passe, je suis seul et soudainement je pense à ma femme, une émotion insoutenable m'étreint. Je sais alors qu'elle est morte. Elle vient de mourir à la seconde. Loin de moi. Et à l'instant elle est venue me dire au revoir. La douleur est terrible. Je suis déchiré, anéanti. Je me laisse aller, je n'ai plus de force, je perds connaissance. Je suis encore dans le rêve et en même temps déjà un peu réveillé, habité par l'idée que ce dont je viens d'être témoin m'est arrivé.

Pourquoi une telle mémoire surgit-elle ainsi avec tant d'émotion ? Ai-je connu cette perte insoutenable ? Ce rêve semble être la clé de certaines de mes peurs. Je sens qu'il s'agit de la Seconde Guerre mondiale et que la femme est partie dans un camp. À cette scène sont attachées des impressions de culpabilité, d'abandon, et ces blessures résonnent en moi. « Comment faire pour rendre ce qui se passe chez un homme qui desserre la main de sa femme, qui jette un dernier, un rapide regard sur le visage aimé ? [...] Comment noyer le souvenir de la femme tendant à son mari un petit sac avec l'alliance, un morceau de pain et quelques morceaux de sucre ? Peut-on continuer à vivre quand on a vu la lueur rouge flamboyer avec une force nouvelle ? Dans les fours brûlent les mains qu'il a embrassées, les yeux qui s'éclairaient à sa venue, les che-

230

veux dont il reconnaissait l'odeur dans le noir, ce sont ses enfants, sa femme, sa mère[1]. »

Dixième session. La mort est le miroir de notre vie, j'ai compris ça cette nuit.

Jan Kounen est arrivé au centre. Je suis content de le voir. Chez lui aussi on distingue des reflets de mondes invisibles dans les filaments bleus et lumineux de ses iris. Il me conseille de laisser simplement mon corps faire le travail, de ne pas chercher à comprendre ou à verbaliser ce qui se passe durant les visions. Nous sommes installés dans la *maloca*, dehors la nuit se réveille. On échange quelques mots, des plaisanteries, on reste en silence, dans la tiédeur du moment, puis les chamanes arrivent. Détendus, souriants.

Lorsque vient mon tour, je ressens déjà la force inhabituelle qui se dégage du breuvage. Son goût est plus fort, il coule dans mon corps. Ce soir, c'est à moi de faire un effort vers Thomas. Je demande à *voir* ce qu'il y a après la mort.

Je suis assis depuis quelques minutes, l'effet du breuvage se fait sentir très vite. Guillermo s'est levé et passe devant chacun. L'obscurité s'éclaire et s'anime avant même qu'il n'arrive à ma hauteur. Soudain il est debout face à moi, et souffle du tabac. Des filaments violets jaillissent de lui et forment des motifs géométriques parfaitement visibles, bien qu'il fasse nuit noire. Il se tient droit, une curieuse pipe dans la main, presque immobile, tirant de longues bouffées qu'il exhale aussitôt

---

1. Vassili Grossman, *Vie et Destin*, *op. cit.*, p. 461.

dans ma direction. Assis sur le sol, j'observe, ébahi, une cascade de traits lumineux parcourir à grande vitesse un quadrillage complexe et invisible autour de sa tête, de son corps, sur son torse, le long de ses bras. Cela forme une multitude de traits de lumière qui s'entrecroisent et bougent, comme animés par une incompréhensible énergie de vie. On dirait la cartographie mystérieuse d'un corps invisible qui apparaîtrait par-dessus et tout autour de Guillermo. Ces traits ressemblent à la vie. Une enveloppe d'énergie. Carapace de lumière.

Je n'en reviens pas. Je ne comprends pas ce que je vois. Ma tête me tourne, mon estomac est douloureux. L'odeur âcre, humide et froide du tabac court sur mon visage, pénètre dans mon corps. Puis le chamane s'éloigne, telle une montagne invincible. D'abord, je ne distingue vaguement que les ombres des arbres dehors, puis soudain ils sont là : ils approchent, surgissant de nulle part. Des géants, courbés vers moi, qui me dévisagent et tentent de me recouvrir d'un voile, noir comme l'océan. Je vois avancer leurs visages surdimensionnés, coiffés de parures inconnues faites de plumes, d'or et d'étoffe. Ils portent des masques de toile, ou de peau, qui dissimulent leurs bouches et leurs nez. Des parties de leurs corps sont nues, leur peau est sombre. Il y a de la puissance. Ils surgissent, sans âge, d'un monde hors du temps. Ils sont immenses et me dévisagent avec ténacité.

Je regrette. Je n'aurais pas dû demander cela. Je suis vivant et saisis maintenant toute la dangerosité de ma démarche : pourquoi vouloir *voir* la mort ? Pourquoi ai-je dit « voir » ? Je ne veux pas y aller, je ne veux pas mourir, j'aimerais juste *savoir*. Mais j'ai dit *voir*...

Sur le versant oriental des Andes, dans les bras d'une forêt semblable au fond des mers, des guerriers incas apparaissent autour moi. D'où sortent-ils ? Mais déjà le vertige m'emporte. Le vacarme de la nuit tropicale est stupéfiant. La forêt explose de vie, vers les étoiles. Des insectes larges comme la main passent en bourdonnant à travers la *maloca*, mais je n'y prête déjà plus la moindre attention.

Et soudain, l'obscurité s'ordonne : le chamane s'est mis à siffler entre ses lèvres. Le mince bruissement remplit la nuit, se glisse tel un serpent, habille les ténèbres si épaisses, et m'apaise. Puis la voix de Guillermo se délie et le chant inconnu enlève mon esprit – ou alors m'a-t-il arrêté avant que je ne meure vraiment ? Tout tourne avec une violence infernale, je perds mes repères les uns après les autres. Les géants incas sont contre moi, me touchent le visage. Je soulève avec peine un bras à hauteur de mon front, pour les écarter. Pourquoi veulent-ils tirer ce voile devant mes yeux ?

Je voulais *savoir* ce qu'il y a après la mort.

Mon corps est parcouru de convulsions, mes gestes sont de plus en plus imprécis, gauches, la peur me gagne alors totalement. Je lutte de toutes mes forces pour ne pas sombrer dans la panique : je suis en train de mourir ! Je sens chacun de mes organes, et réalise avec effroi qu'ils vont s'arrêter ! Mon corps est une immense machine dont les milliers de cellules, de tissus, de membres, de fonctions peuvent se détraquer. Je prends conscience de mon cœur qui bat, de l'air qui entre dans mes poumons, de mon foie et de mes muscles, du sang qui cogne dans mes veines, tout cela fonctionne d'ordinaire sans que j'y prête la moindre attention. Mon esprit s'emballe, les pensées naissent à une vitesse folle, comme une inondation incontrôlable, obscène. J'observe un bouillonnement de noirceur sur lequel je n'ai plus prise. Ça n'arrête pas, il suffit que je me dise qu'il ne faut pas que je pense à quelque chose pour que ce quelque chose explose littéralement dans mon crâne. L'horreur ! Il ne faut pas que j'imagine que mon corps puisse cesser de fonctionner, sinon c'est réellement ce qui va se produire ! Mais je suis incapable de maîtriser mon esprit ! Alors je vais mourir, mon corps va s'arrêter ! Mon rythme cardiaque s'emballe, ma respiration s'accélère, je transpire en même temps que je suis parcouru de frissons de glace. Je suis terrorisé, mon corps va cesser de vivre… Non !!! Je ne veux plus savoir ! Je ne veux plus ! Quelle stupidité ! Pourquoi m'être mis délibérément dans une telle situation ? Le vertige est absolu. Je suis en train de mourir !

Dans ce tourbillon qui bouleverse mon esprit et broie mon corps, je prends soudain conscience qu'il y a un monde insensé autour de moi. Des forces, des esprits, de la vie, indiscutablement, des entités innombrables. Le mur contre lequel j'étais adossé a disparu, le toit aussi, le sol… aussi ! Je bascule dans l'espace, dans le vide, la sensation de déséquilibre est totale. Des peuples entiers me frôlent dans un fracas épouvantable. Qui est là ? D'où viennent-ils ? Tout va beaucoup trop vite. L'invisible se remplit de gens, de pensées, d'êtres… de mondes. Je suis venu chercher un homme mort depuis près de six ans. Mon frère. Thomas.

Au Pérou, au cœur de la forêt amazonienne, dans le tumulte soudain visible des esprits, je suis en train de le rejoindre, je suis en train de mourir, et je ne perçois encore que ma colère et ma peur. « Tu désirais que je te parle de la mort. Très bien ! Alors ne sois pas effrayé si je te parle de la tienne[1]. »

Il faut un temps interminable pour que la démesure de cette expérience s'atténue. Finalement, je suis encore vivant. Je parviens à saisir la main de Natacha et cela me procure une joie apaisante et douce. Je reviens ! Je ne suis pas mort, et pourtant j'ai commencé à voir ma mort. Au matin, c'est comme une évidence : je dois passer le cap que j'ai refusé de franchir hier soir. Le cap de ma peur. Cette panique est en moi. La peur comme la volonté de contrôle mettent des barrières. Je ne vais pas mourir, seulement croire que ça arrive. Les réponses sont au fond de moi, la réalité de ce qu'a traversé mon frère est inscrite en moi, en chacun de nous. Depuis toujours. La peur me sépare de lui, seule ma peur. Mon esprit est tellement embrouillé. Quel est ce monde qui ne m'a appris à regarder que les apparences ?

Onzième session. Le travail se poursuit, je le sens confusément. Mon corps est pressé, compressé. Peu de visions, ou alors très diffuses. Une fois dans ma hutte, dans mon sommeil, sentiment

---

1. Carlos Castaneda, *Voir, op. cit.*, p. 252.

qu'il se passe des choses qui n'ont rien à voir avec les rêves. Je sursaute, mais ne suis conscient de rien.

« Quand ma vie sera terminée, il me restera l'univers à apprendre[1]. »

1. Jacques Lusseyran, *Et la lumière fut*, Éditions du Félin, 2005, p. 217.

24

« Voir »

Douzième session. Cela se produit dès le début, je suis adossé au mur de la *maloca* et j'aperçois... Thomas, à genoux sur ma droite. Comme une image qui apparaît, qui se densifie lentement devant mes yeux. À la hauteur de mes pieds, je distingue d'abord une sorte d'enveloppe, de membrane blanche délimitant un corps. Puis tout devient très net. C'est Thomas, il est de profil, son crâne est rasé comme le jour de l'accident. Il se tient accroupi sur les talons, recroquevillé sur lui-même, on dirait qu'il patiente ainsi depuis longtemps, attendant que je parvienne enfin à le voir.

Lorsqu'il s'aperçoit que j'ai remarqué sa présence, il tourne la tête vers moi et fait un mouvement des bras dans ma direction tandis qu'une expression de surprise et de joie intense traverse son visage. « Putain ! ça y est, tu me vois, enfin ! » semble-t-il dire. Son visage, ses yeux, sa tête, le mouvement lourd de son corps. Sa surprise, son visage qui s'éclaire. C'est lui. Il est tout proche, mais en même temps inaccessible, comme derrière un voile invisible, comme de l'autre côté d'une frontière séparant deux mondes, deux réalités. Je suis ému, mais pas submergé, parce que je m'interroge. Ma conscience est claire, je suis réveillé et mon esprit est alerte. Je suis intrigué par cette apparition, et je me demande si ce n'est pas moi qui suis en train de provoquer cette vision.

Thomas me regarde, son visage me regarde, ses yeux sont ouverts, impatients, braqués sur moi. Il semble me parler mais réalise que je n'entends rien. Est-ce moi qui provoque cette vision ? Est-ce vraiment lui qui s'adresse à moi ?

Je détourne mon regard une seconde, puis tourne à nouveau la tête vers lui ; il est toujours là. Est-ce moi qui provoque cette vision ?

Je ne lui dis rien, déchiré par le besoin de décider. Je ne bouge pas, je suis assis, que doit-il se passer maintenant ? Que fait-on ? Je regarde mon frère et nous sommes séparés par un écran d'incertitude. Est-ce moi qui crée cette vision ?

Par réflexe, je décide que oui, finalement tout ça doit être dans ma tête. Je le laisse s'effacer ! Devant mes yeux, il s'étiole, s'estompe progressivement dans l'obscurité. Ai-je provoqué cette vision ? N'ai-je pas plutôt refermé en moi cette fragile perception nouvelle qui s'ouvrait à peine ? Oui, je ferme doucement cette possibilité de voir. Thomas part dans le lointain, il ne bouge plus, accroupi à mes pieds, reprenant sa position d'attente, comme résigné mais patient ; est-ce un sourire que je distingue sur ses lèvres, ou est-ce moi qui provoque cette vision, tandis qu'il disparaît ?

Alors que j'achève de le rendre invisible, j'ai l'impression de réinstaller des filtres, mon système de perception habituel, une perception d'aveugle.

Parce qu'il était là, Thomas. Il était vraiment là !
Comment je le sais aujourd'hui ? Eh bien, parce que ma femme l'a vu aussi ! Elle me l'a dit à l'aube. Comment aurait-elle pu le voir s'il était dans ma tête ? Elle a vu cette forme blanche à mes pieds ! Elle a vu apparaître Thomas ! Et elle a su que c'était lui ! Sans nous concerter nous avons observé tous deux la même chose, au même moment, et c'était mon frère.

La mort n'existe pas, seule la peur de la mort existe...

25

Émotion et perception

« Du matin au soir, et même la nuit, pendant que nous rêvons, nous percevons les choses. Nous sommes tantôt détendus, tantôt en colère. Nous pouvons être en proie au désir ou manifester de la compassion. Ce sont des états passagers. Ils vont et viennent, selon les moments. Mais il y a quelque chose qui dépasse tout cela – une continuité de perception, que nous soyons ou non à l'état de veille. Cependant, ce quelque chose reste générale-ment caché, comme derrière un rideau. C'est à nous d'ouvrir ce rideau [1]. »

Le bouddhisme considère que les émotions et la perception sont indissociables. C'est d'une telle évi-dence ici, sous le couvert des arbres de la grande forêt amazonienne, tandis que je traverse ces états modifiés de conscience, nuit après nuit. Tous mes mécanismes mentaux de contrôle et de filtrage

---

1. Album photographique de Manuel Bauer, textes de Matthieu Ricard et Christian Schmidt, *Sa Sainteté le dalaï-lama. Voyage pour la paix*, La Martinière, 2005, p. 45.

sautent les uns après les autres. Je vois des peurs, des craintes, des culpabilités, des espoirs aussi, de l'amour parfois, et il est alors d'une puissance et d'une sincérité sans pareilles. Durant mes nuits d'ayahuasca, les émotions montrent les conséquences qu'elles ont sur ma vie, sur le regard que je porte sur le monde. Et combien je suis incapable de la moindre maîtrise sur ces mécanismes. Je suis le jeu des émotions qui jaillissent, je suis possédé par des passions dont j'ignore l'origine, entraîné dans le ciel, dans des tourbillons vertigineux, dans une ronde frénétique. Spectateur abasourdi et parfois terrorisé de ce manège, je commence à observer comment chacune de mes pensées se matérialise devant moi, et comment la peur amplifie et fait prendre à toutes celles que je ne veux pas voir une prépondérance incontrôlable. Durant ces nuits de sueur et de soubresauts, je réalise combien mes pensées créent le monde autour de moi. Combien elles façonnent mon existence. Déforment, obscurcissent, compliquent. Je comprends cela. Et je saisis aussi que si l'univers émotionnel qui me constitue colore ce que je vois, il rend également invisible une partie de la réalité.

Soudain, je prends toute la mesure de ce paradoxe : mes émotions génèrent ces peurs, ces visions effrayantes, dont je crois qu'elles existent vraiment ! Puis, lorsque j'aperçois mon frère, calme et silencieux, je me dis que c'est moi qui l'invente. La confusion de mon esprit me fait prendre le ballet illusoire de mes pensées pour la réalité – parce que j'en ai peur – et la réalité pour une hallucination ! Mon frère a toujours été là !

J'approche, oui, j'approche. Ma fascination de la mort, c'est mon urgence, mon désir, ce qui brûle en moi depuis l'enfance, le besoin impérieux d'ouvrir le rideau. Et voilà où ma recherche me conduit aujourd'hui, après mille rencontres, après tant de savoir absorbé, tant de certitudes jetées à terre, après ces nuits de fièvre et de tremblements, sur la frontière tangible d'un autre monde : je comprends que mon frère est là, à côté de moi.

26

Les explorateurs de l'invisible

Être capable de voir mon frère, et de percevoir dans le même temps la réelle dimension de la vie. Je comprends maintenant combien il est primordial de saisir la nature de mes émotions, ces énergies qui aveuglent le monde. Cela nécessite d'apprendre à faire naître la paix en soi, calmer, comprendre, apaiser.

C'est naturellement vers l'Inde que je dirige mes pas, quelques mois après être revenu d'Amazonie. Dans le nord du pays, contre l'Himalaya, dans le village de Dharamsala, siège du gouvernement tibétain en exil. J'éprouve une curieuse impression à revenir en ces lieux. Mon dernier séjour à Dharamsala remonte à sept ans. Cette époque me laisse des souvenirs tellement lointains qu'on les dirait provenir d'une autre vie. Thomas était vivant.

Le bouddhisme tibétain a développé des techniques d'exploration des nombreux états de conscience qui jalonnent l'existence humaine :

, la méditation, le rêve, le sommeil, dition millénaire dispose également ces sur le processus de la mort. Une le ce savoir se trouve dans le fameux *rts*, le *Bardo-Thödol*, qui avait déjà attiré l'attention de Carl Gustav Jung dans les années 30. Très impressionné par le texte, Jung écrivait à son sujet : « Les enseignements du *Bardo-Thödol* représentent cependant l'effort intellectuel le plus important en faveur des défunts. Ils sont si détaillés et à tel point adaptés aux métamorphoses que le défunt semble traverser que tout lecteur sérieux se pose la question de savoir si ces vieux sages lamaïques n'ont pas, en fin de compte, jeté un coup d'œil dans la quatrième dimension, en soulevant un voile qui recouvrait de grands mystères de la vie[1]. » Ce texte, dont il existe maintenant plusieurs traductions en français, demeure assez opaque au profane que je suis ; aussi mon objectif en rejoignant le village de Dharamsala où résident le dalaï-lama ainsi que de nombreux grands maîtres est-il de confronter les connaissances médicales occidentales sur les EMI, et plus généralement sur la conscience, mais aussi le résultat de mes expériences avec les médiums et tout ce que je viens de traverser en Amazonie aux côtés des chamanes, avec le savoir étonnamment précis et subtil contenu dans cet ouvrage. Je prévois d'en discuter avec plusieurs maîtres tibétains.

---

1. C.G. Jung, *Commentaire psychologique du « Bardo-Thödol »* (1935), in *Le Bardo-Thödol, livre des morts tibétain*, Jean Maisonneuve, 1987, p. 240.

Je me suis rendu pour la première fois à Dharamsala en 1989, date à laquelle j'ai réalisé ma première interview du dalaï-lama. Il venait de se voir attribuer le prix Nobel de la paix, j'avais vingt et un ans à l'époque, cette rencontre fut marquante. La conversation s'était passée merveilleusement bien, sérieuse et détendue. Je l'avais questionné essentiellement sur la nature de la non-violence qu'il ne cessait de préconiser depuis l'invasion chinoise. Le dalaï-lama en avait fait une doctrine politique et, pour moi qui revenais juste d'Afghanistan où les moudjahiddin avaient mis l'Armée rouge dehors les armes à la main, cette attitude de refus d'une résistance active était incompréhensible.

Je voulais qu'il m'explique. Durant près d'une heure, le dalaï-lama m'avait parlé de la nature des enseignements bouddhistes en matière de non-violence. Il avait exposé sa doctrine avec conviction, répondu à mes questions en ponctuant parfois ses réponses de grands éclats de rire. Je trouvais que la responsabilité qu'il endossait en demandant à son peuple de ne pas se battre contre l'envahisseur était vertigineuse. Avait-il des doutes parfois ? Jamais ! m'avait-il répondu, jamais en ce qu'il s'agissait de mener son action politique selon des principes de non-violence : la violence ne se justifie en aucune manière, même devant l'abject ; elle engendre systématiquement la violence, quels que puissent être à court terme les résultats apparents de son emploi. J'étais dans la fureur et la guerre, jeune journaliste impétueux, je parlais de gloire et de résistance armée, il répondait par la souffrance que cette attitude engendre. Avec des mots simples, vrais, justes. J'avais été impressionné, bien qu'encore aveuglé par l'intensité de ma propre colère face aux injustices de ce monde. Déjà, en moi, dès le départ, cette ombre et cette lumière.

Puis l'entretien avait pris fin. Je l'ai remercié pour le temps qu'il m'avait accordé, me suis levé et lui ai demandé de bien vouloir se rapprocher d'une fenêtre afin que je fasse une photo.

— Vous ne préférez pas aller dehors ? Vous aurez une meilleure lumière, me proposa-t-il.

Je n'avais pas osé mais en fus ravi. Nous sommes sortis. Tenzin Gyatso a rajusté sa tunique pourpre, s'est redressé devant moi, croisant les mains. Présent. Un vent frais a glissé au travers des sapins dressés autour de nous. Nous étions le 22 novembre 1989. Le ciel était couvert. Le dalaï-lama a regardé mon objectif, j'ai déclenché une fois, deux fois, puis retournant l'appareil vers moi, bras tendu, je me suis placé contre lui pour un portrait de nous deux. Ça l'a fait beaucoup rire. Nous sommes revenus sous la véranda et, comme je rassemblais mes affaires, son secrétaire lui a tendu une écharpe de cérémonie en soie blanche. Sa Sainteté l'a dépliée d'un geste souple et précis, puis me l'a passée autour du cou. Nous avons échangé une chaleureuse poignée de main, il avait ce regard bienveillant et malicieux alors qu'il tenait mes mains dans les siennes. Je revois ses yeux rieurs qui m'accompagnaient tandis que je m'éloignais sur la portion de route circulaire qui descendait vers le portail d'entrée de sa résidence.

Ce petit village accroché à l'Himalaya est un lieu que j'aime, qui a toujours compté dans ma vie. Il m'offre depuis vingt ans une contre-mesure à l'absurde.

27

Souvenirs dans un taxi
au cœur de la nuit indienne

L'avion se pose sur l'aéroport Indira-Gandhi de New Delhi. Il fait nuit. Dès les premières secondes, la foule, la frénésie, l'obscurité chaude et bruyante, puis les longues avenues désertes, parfums colorés et humides, klaxons, à la recherche d'un hôtel ouvert.

Le chauffeur jette un regard dans le rétroviseur. Œil sombre et tendre. Les souvenirs remontent.

Thomas et moi avons beaucoup voyagé en Inde, mais jamais ensemble. Alors que je cherchais désespérément des montagnes, ne me sentant bien que là-haut, dans l'Himalaya, Thomas parcourait le pays en tous sens, sillonnant le Sud, visitant les ashrams utopiques les uns après les autres, y trouvant parfois la paix, plus souvent qu'à Paris.

Assoupi à l'arrière de la voiture, assommé par la chaleur, mon esprit vagabonde et les péripéties du voyage qu'a fait Thomas aux sources du Gange me reviennent en mémoire. Ce fleuve est très particulier : il possède deux sources, une pour les géographes, et une autre spirituelle. De l'eau sort effectivement de terre en un point de l'Himalaya, mais il existe une autre source, la source invisible du Gange, une source sacrée, là où naît la force spirituelle de cette veine qui traverse l'Inde : au Tibet. Sur une montagne appelée mont Kailash. Thomas y est allé trois fois avec une soif immense. Simon l'accompagnait pour sa dernière expédition. La montagne marque le centre d'un lotus qui se déploie sur le monde entier, et c'est là que le Gange, fleuve vénéré par près d'un milliard d'êtres humains, s'incarne dans notre monde réel.

Depuis des millénaires, le sacré a façonné une géographie céleste de l'Inde. Cette vision spirituelle du monde s'intègre dans la culture actuelle du sous-continent. Le Gange, fleuve réel et nourricier, est aussi Ganga, une déesse à la peau blanche. Quelques centaines de kilomètres à l'ouest du mont Kailash, à quatre mille deux cents mètres d'altitude, un petit torrent sort de terre. Puis le torrent se mue en fleuve à mesure que son cours l'entraîne vers les plaines, et il devient le Gange. Dans ses premières errances indiennes, Thomas a suivi les berges du fleuve. Des sources profanes à Bénarès. Ensuite il a poussé ses pas vers la demeure céleste du fleuve. Thomas maintenant imperceptible dans ce monde.

En Inde, il est de coutume de déposer sur les lèvres du mort quelques gouttes de l'eau du Gange afin que le défunt soit aidé dans le long voyage qu'il entame. Ce jour d'avril en Afghanistan, devant son corps allongé dans la poussière, je n'avais pas cette eau magique... mais Thomas en avait déjà bu. Insouciant et suivant un chemin profondément ancré en lui, il était monté contre les glaciers, non loin de Gangotri, là où un Gange encore adolescent, impétueux et glacé se jette dans le vide après avoir glissé avec fureur entre les arêtes coupantes de la roche aux reflets blanc et or. Thomas avait observé ces hommes nus, ces hommes saints, plongeant leur corps maigre dans les flots bouillonnants. Plusieurs de ces ermites vivent toujours là-haut. L'hiver, le vent, la neige et le froid fendent les blocs de roche. Pieds nus dans la neige, ils continuent pourtant de se plonger dans l'eau cristalline. La morsure du froid brûle leur peau et allume dans leurs yeux une lueur divine.

Alors que la voiture file dans les faubourgs déserts et moites de Delhi, j'imagine mon frère : il est seul et ôte ses vêtements, les replie contre son sac, jette un œil alentour puis descend entre les rochers – il nous a dit qu'il s'était baigné là-haut. Le froid est vif, mais la majesté du lieu le pénètre. Qu'attend-il de ce bain ? Que reçoit-il alors que sa tête disparaît sous l'eau ? Il se sent fort, puissant, chacun de ses muscles est tendu, la terre coule en lui, la vie, l'univers entier dilués dans cette eau sacrée traversent son être. Soudain, un bloc de glace se détache et s'abat devant lui, manquant de l'écraser. Neige et glace se disloquent dans le torrent, épargnant Thomas. Qu'auraient pensé de cet épisode les *sâdhus* de Gangotri ? Ces hommes qui, comme le vieux Vyasa, le conteur du *Mahabharata*, « marchent silencieusement, comme si leur esprit vivait en même temps dans plusieurs mondes[1] ». Aucun n'a été témoin de la baignade de Thomas.

---

1. Jean-Claude Carrière, *Le Mahabharata*, Belfond, 1989, p. 19.

Mon frère est remonté sur la berge, la peau rouge. Avec soin, il a essuyé les gouttes ruisselant sur son corps. Ses yeux regardaient loin, à l'intérieur de lui-même.

Une autre image me vient de lui. Nous sommes bien plus bas le long du fleuve, dans la cité sainte de Bénarès où je suis allé également avec Simon. Il fait très chaud. Thomas contemple la procession incessante de cette foule qui descend les marches rouges des Ghâts menant au fleuve. Les hommes, les enfants sont à moitié nus, les femmes arborent des saris aux mille reflets. Immergée jusqu'aux genoux, une adolescente se tient en prière, les mains jointes devant les lèvres. L'eau du fleuve s'infiltre dans les fibres de son sari mauve. L'étoffe légère épouse les mouvements de ses hanches et de son dos cambré. Elle se baisse, disparaît un bref instant sous la surface, puis reparaît. Sa longue chevelure huilée est d'un noir d'obsidienne. Alors qu'elle remonte lentement, se redressant avec une sensualité qu'elle ignore posséder, le tissu se colle le long de ses cuisses, se plisse sur son bassin. Elle tient les bras repliés contre sa poitrine, tête baissée, et un indescriptible sourire éclate sur son visage.

Ce jour-là, Thomas est descendu à nouveau dans le fleuve, il a mis ses mains en coupe, a laissé couler un filet d'eau dans le creux de ses paumes, les a portées à ses lèvres, alors la déesse s'est glissée dans le corps de mon frère pour l'éternité.

Le taxi s'arrête devant la façade de l'hôtel. Le jour se lève dans trois heures.

28

Causerie dans l'express
Delhi-Chandigarh

Je tire le rideau, la vitre est scellée, impossible à ouvrir. Elle est brûlante, laissant deviner la température indécente qui règne déjà à l'extérieur. Ce quartier de Delhi est assez vert, les avenues y sont larges et les arbres nombreux. Dans la chambre, la climatisation m'a glacé toute la nuit. De dehors, les sons de la circulation nous parviennent étouffés. C'est une rumeur agitée et exotique. Des volées de corbeaux s'élancent des toits environnants, retombent, chahutent, virevoltent dans ce ciel qui est le leur, se moquant du soleil, indifférents à la cité qui s'étend sous leurs ailes. La voient-ils seulement ? Carl s'assoit sur le rebord de son lit, les yeux gonflés de sommeil, j'ai déjà tiré la couverture sur le mien et pris une douche. Je sors dans le couloir et monte encore quelques étages dans cet hôtel du centre-ville. Restaurant désert, vue panoramique, café. Je couche une dizaine de phrases dans mon cahier bleu, et bientôt Carl me rejoint, les cheveux mouillés. En silence. Café pour nous deux, cigarette pour Carl, moi j'ai arrêté deux mois après la mort de mon frère.

Pas un nuage au-dessus de Delhi.

Carl est mon ami depuis toujours. Je lui dois d'être en Inde une nouvelle fois aujourd'hui. Passionné d'art et d'architecture, il se rend très régulièrement dans ce pays afin de collecter des objets pour une exposition rétrospective sur Chandigarh, capitale de l'État indien du Penjab. Cette ville a été entièrement imaginée par une équipe d'architectes conduite par Le Corbusier au début des années 50. Dans cette équipe figurait le cousin du Corbusier, Pierre Jeanneret, un homme à qui Carl s'est attaché d'une manière étrange. Admiration, fascination pour cette folle entreprise dont il fut l'un des piliers. *Dans la solitude et l'ombre, ils bâtirent une ville*.

Carl est tombé amoureux de cet endroit improbable, il en connaît les moindres recoins, chaque villa, chaque bâtiment, sa solitude s'est nourrie de la vie de ces hommes et de ces femmes qui en pensèrent les artères, les façades, les intérieurs, les couleurs. Il est devenu l'intime de fantômes, de photos en noir et blanc, de secrets, le confident d'une utopie. Carl m'a dit plusieurs fois vouloir posséder les photos de cette partie de sa vie. La photo a été mon métier, alors il m'a proposé sur un coup de tête de venir avec lui à Chandigarh. Et de photographier. Il est entendu qu'il montera avec moi à Dharamsala ensuite.

Je connais Carl depuis l'adolescence. Nous avons fait connaissance dans un lycée, que j'ai quitté après un an. À cette époque je changeais souvent d'établissement. Puis Carl et moi nous sommes retrouvés un an plus tard, assis l'un à côté de l'autre sur un banc, à Paris, le jour de la rentrée, dans un autre lycée. C'était drôle, tellement inattendu. Mais aucun prof n'ayant réussi à me convaincre que ce qu'il nous enseignait méritait que je reste le cul vissé à une chaise encore une année, j'ai tiré définitivement un trait sur la scolarité après deux mois de terminale. Quitter l'école pour apprendre enfin.

Quelque chose appelait au fond de moi. « Il y a un enfant sauvage en nous, quelque chose qui chauffe, qui aime, qui est plein de grands vents et d'espaces, un rebelle merveilleux[1]... » Ce désir gigantesque allait bientôt me jeter en Afghanistan, clandestin au milieu d'un groupe de résistants, alors que mes amis, leur bac en poche, disparaissaient de ma réalité. Mais une amitié s'était installée entre Carl et moi, pour de bon. Elle dure.

Carl a un regard de charmeur, un rire qui s'emballe. C'est un généreux, un homme qui est toujours là. Une présence discrète. Une charpente solide, des épaules rondes, c'est un socle qui aurait aimé en trouver un. Un fragile qui cogne. Un homme qui reste debout. On a fait ça à deux ou trois reprises, partir ensemble. À chaque fois, c'était important. Comme si le hasard de l'existence nous plaçait côte à côte dans les moments clés de nos vies. Nous n'avions sans doute pas conscience de cela, mais je ne crois pas au hasard.

Nous sortons dans l'air terriblement étouffant de la capitale indienne. Direction la gare centrale,

---

1. Satprem, *L'Orpailleur*, Le Seuil, 1960, p. 229.

...ur attraper le train express de l'après-midi. On ...ouve rapidement le bon quai. Le compartiment ...st climatisé et les places réservées. Un préposé nonchalant dépose devant chaque passager une petite boîte en carton contenant un *samossa* végétarien très piquant, un jus de mangue en barquette à boire avec une paille, et un biscuit sec. Des militaires patrouillent en souriant. Le contrôleur contrôle. À l'heure précise, l'enfilade de wagons se met en mouvement, entraînée par la puissante locomotive. Le convoi cahote un moment sur les aiguillages, puis prend de la vitesse et sort bientôt des faubourgs de New Delhi. Derrière l'écran des vitres dépolies, la ville s'efface et cède peu à peu la place à une répétition de villages, de petits essaims d'habitations, de champs ; l'horizon de ce tableau disparaît dans un brouillard de chaleur.

Le roulis du train nous berce, j'écris, nous bavardons, puis, désireux de me replonger dans l'objet intime de ce voyage, je relis les annotations dont j'ai constellé l'un des livres que j'ai emportés : un texte du dalaï-lama écrit en collaboration avec le professeur d'études tibétaines de l'Université de Virginie, Jeffrey Hopkins.

C'est un ouvrage succinct, une réflexion générale à la fois pratique et philosophique sur la mort. J'en ai surligné de nombreux passages : « Tout moment de conscience exige donc un instant précédent de conscience en tant que cause substantielle, ce qui signifie qu'il doit exister un continuum de l'esprit sans commencement[1]. » Il y a une logique simple

---

1. Sa Sainteté le dalaï-lama, *Vaincre la mort*, avec la collaboration de Jeffrey Hopkins, PhD, Plon, 2003, p. 110.

là-dedans, presque une évidence : la conscience ne peut jaillir du néant. C'est une notion dont je sens confusément la justesse, qui me semble familière maintenant. Mon regard est attiré par une note un peu plus bas : « La conscience est composée de fragments d'instants, au lieu de cellules, d'atomes ou de particules. C'est pourquoi conscience et matière relèvent de natures radicalement différentes, et de causes substantielles différentes. [...] Par exemple, l'argile est la cause substantielle d'un vase de terre. La cause substantielle d'un esprit doit elle-même former un élément lumineux et intelligent – un fragment passé de l'esprit [1]. » J'aime l'idée. Je suis impatient de retrouver Dharamsala. Envie de discuter de cela avec les tenants directs de ces enseignements. Trop de questions jaillissent de mes lectures ; alors que chaque nouveau livre apporte plus d'interrogations que de réponses, j'ai besoin de vie, de sentir des hommes d'expérience parler à mon âme.

Aussi bien pour Carl que pour moi, rien n'a pu éteindre en nous cette envie d'étonnement et la mort s'est naturellement glissée dans nos échanges après le départ de Thomas.

Le train coule dans les plaines du nord de l'Inde avec détermination. Les lourds essieux claquent à chaque jonction de rails dans un rythme régulier et désuet. Les termes du livre que je garde ouvert sur mes genoux, alors que mon regard se perd quelques instants dans le silence, ne sont pas seulement philosophiques, il y a quelque chose de

---

1. *Ibid.*, p. 110.

pratique dans ce que ces phrases décrivent : « La conscience se définit comme une lumière douée de connaissance. Elle est lumineuse en ce que sa nature est claire et qu'elle illumine ou révèle l'environnement comme une lampe chasse l'obscurité afin que les objets puissent être discernés[1]. » La conscience éclairerait le monde, nous disent les bouddhistes, le rendrait discernable, car en soi il serait dénué d'existence propre.

Voilà une variation intéressante. Comme cela est frappant : l'un des mystères les plus énigmatiques en physique porte précisément sur le rôle de l'observateur. Dans toute mesure de l'état d'une particule quantique, l'action d'observer a une incidence immédiate sur l'état de cette particule. Lorsqu'on ne cherche pas à la détecter, on sait avec certitude aujourd'hui qu'une particule ressemble plus à un *potentiel de particule*, et qu'elle est susceptible de se trouver partout à la fois. Les particules n'*existent* en tant que telles, à un endroit donné dans le temps et l'espace, que lorsqu'on entreprend de les mesurer. Nous sommes habitués à un monde, à une réalité composée d'objets et de phénomènes dont l'existence ne semble pas être tributaire du regard que nous portons sur eux. Si vous posez ce livre et quittez la pièce, il ne cessera pas d'exister, et vous le retrouverez en revenant dans la pièce. Ce n'est pourtant pas ce qui se produira pour les particules composant ce même livre. Si l'on cesse de les observer, elles disparaissent car, à l'état quantique, elles ne sont plus *quelque part* mais potentiellement *partout*. Aujourd'hui, on observe donc ce fait

---

1. *Ibid.*, p. 109-110.

aussi incompréhensible qu'indiscutable en physique : la nature des constituants ultimes de notre réalité est directement dépendante des mesures que l'on effectue sur eux. Ce qui est contraire à toute logique apparente. Et les bouddhistes nous disent par ailleurs que *la conscience illumine l'environnement comme une lampe chasse l'obscurité afin que les objets puissent être discernés*. Je ne suis pas le seul à entendre la même chose.

La nuit descend avec douceur alors que le train pénètre dans la gare de Chandigarh. L'associé de Carl nous attend au volant de sa nouvelle Skoda et nous conduit à notre hôtel. Le hall est rempli d'hommes élégants. Je les observe se prendre au sérieux. Le torse gonflé d'orgueil et de suffisance. Y a-t-il un endroit sur terre où les hommes ne se sentent pas obligés de jouer un personnage ? De porter un masque ? De juger, de savoir tout ? Ce visage de mensonge emprisonne une partie essentielle d'eux-mêmes. Et leur vie passe ainsi, telle un battement d'ailes, comme si la vie ne servait qu'à vieillir...

Je l'ignore encore, mais j'ai à nouveau rendez-vous avec la mort dans trois jours.

29

Un nouveau rendez-vous
avec la mort

C'est mon frère qui me prévient. Je suis au restaurant lorsque mon téléphone sonne. Surpris, je me
lève et quitte la table pour le hall de l'hôtel. Au bout
du fil, Simon m'annonce que Florian, notre grand-
père, le père de notre mère, vient d'être hospitalisé.
À quatre-vingt-dix-huit ans, il se portait plutôt bien.
Je raccroche puis compose le numéro de ma mère
qui est arrivée là où il habite, en Isère, un peu plus
tôt dans l'après-midi. Elle sort de l'hôpital et s'apprête à y retourner pour la nuit. Je la sens très
secouée, se préparant à traverser un moment important de sa vie. Elle m'explique que son père a attrapé
une bronchite, qu'il respire avec difficulté et que
son rythme cardiaque est très affaibli. Son état
d'épuisement général laisse penser aux infirmières
qu'il n'en a plus pour très longtemps. Il est conscient
mais n'arrive pas vraiment à parler, ses dernières
forces s'étiolent. On ne s'y attendait pas. Il s'occupait
tous les jours de ma grand-mère, allait à son chevet,
déposait sur ses lèvres un baiser d'amoureux. La faisait manger. Qui le fera pour elle maintenant ?

Retour dans le restaurant. Trop d'agitation, trop de musique, de froid artificiel. Je me sens un peu ailleurs. Carl connaît mes parents, il a une pensée pour ma mère. Je suis dans un état hésitant, je m'assieds, nous parlons un peu, puis je lui demande de m'excuser car j'éprouve le besoin d'être seul. Une nécessité physique. Je veux du silence, du calme, comme si quelque chose d'essentiel allait dépendre de ma capacité à être à l'écoute. Je traverse le hall, pénètre dans l'ascenseur, rejoins ma chambre.

En m'allongeant sur le lit, la sensation augmente et je réalise peu à peu que mon grand-père Florian est en train de quitter ce monde. Il est devant le passage et attend que *ça* arrive. Mes pensées vont également à ma grand-mère. S'est-elle rendu compte que son mari ne venait plus la voir depuis plusieurs jours ? Elle s'appelle Aimée et n'a plus toute sa tête, comme on dit. Je suis allé la voir en compagnie de Luna quelques jours avant de partir au Pérou, j'ai plongé mes yeux dans les siens et senti une absence, un vide, un abîme. Par instants, son corps n'était plus habité, juste une enveloppe en pilote automatique : la vie sans vie. Manger, peur, stupeur, attendre. Puis, à d'autres moments, quelque chose revenait. Alors ses yeux s'allumaient comme ceux d'une enfant, elle souriait sans bien comprendre, et nous reconnaissait, Luna et moi. Elle était à nouveau là, glissée dans ce corps qui n'était plus le sien qu'à moitié.

Allongé dans ma chambre d'hôtel à Chandigarh, alors que le sommeil me gagne, je pense à Florian sur le point de mourir, et aussi à Aimée qui ne tardera pas. Bientôt la nuit m'enveloppe tout à fait.

Au matin du dimanche, je n'ai pas de nouvelles. Aucun message sur mon portable, pas de mail. Pourtant, dans le silence de l'aube, la sensation qu'il est encore là est évidente. Florian n'est pas encore mort. Je descends prendre un café, noircir quelques pages de mon cahier bleu, assis sur la petite terrasse extérieure encore abritée du soleil. Subitement je me dis que je pourrais aller à la messe. Oui, nous sommes dimanche, voilà l'endroit où je devrais être : une église. Prier pour Florian. Je n'ai pas assisté à un office depuis des années, je ne sais pas trop ce que prier veut dire, pourtant cette intuition soudaine m'apparaît être une évidence. C'est un appel à nouveau. Écoute ! Écoute ce qui appelle en toi !

Je remonte prévenir mon ami, puis redescends devant le lobby. Une église ? Conciliabule du personnel. On pense à un employé qui est chrétien, mais il n'est pas là, c'est son jour de congé. Le concierge décroche son téléphone et lui parle bientôt. L'oreille collée au combiné, il griffonne une adresse sur un bout de papier : église catholique du Christ-Roi, secteur 19. Je saute dans un taxi. La matinée est bien amorcée, je traverse quelques avenues désertes de Chandigarh dans une voiture silencieuse.

Il y a du monde. Beaucoup de monde. L'église se trouve en retrait de la route, au milieu d'un jardin entouré par un muret de brique rouge. Des fidèles filtrent l'entrée, je passe leur portail, puis traverse une foule joyeuse et recueillie composée de femmes élégantes, d'hommes à la peau mate, et d'enfants qui se figent quelques instants en me regardant avec surprise. Tous tiennent dans leurs mains de longues et fines feuilles de palme. Je me sens accueilli. Ce sont des sourires, des saluts de la tête, des regards complices.

Me voilà sous l'auvent, à la porte. Un petit groupe s'écarte et me laisse entrer, l'église est pleine, la messe est commencée depuis longtemps. Les chants résonnent dans ce vaste espace lumineux et triangulaire. Tout semble converger vers l'autel : le bâtiment lui-même, les rangées de bancs, le regard des fidèles. Les parois de l'édifice sont blanchies à la chaux, à l'exception du mur de brique construit en arc de cercle et fermant le chœur de l'église. De hautes verrières laissent entrer le soleil. Des ventilateurs brassent des odeurs multiples, exotiques et chaudes, de savon, de tissu et d'encens. Dans le chœur, plusieurs prêtres officient sous un christ en croix suspendu dans les airs. La croix composée de deux rondins de pin est accrochée par des chaînes aux soupentes du toit. De nombreux fidèles sont debout et chantent avec ferveur. Il reste quelques places sur le dernier banc du fond, à droite. Je m'approche, m'agenouille, joins les mains, et commence tant bien que mal une prière pour mon grand-père.

C'est alors qu'une incompréhensible émotion me saisit. Je suis submergé, emporté. Un feu explose dans ma poitrine. Mon corps est pris de soubresauts et j'éclate en sanglots. Tête baissée, le front posé sur mes mains croisées, essayant de dissimuler mon visage à mes voisins, je ne comprends pas ce qui m'arrive. Quelques minutes s'écoulent à peine, puis vient le moment de l'eucharistie.

Je m'en rends compte car les rangs devant moi se vident. Les fidèles s'avancent dans l'allée centrale. Un gospel aux sonorités indiennes emplit l'église de joie. Essuyant mes larmes, je me lève, me joins à la file et me présente devant le prêtre, je sens que quelque chose bout au fond de moi, mon corps peine à contenir ce qui vit et s'étend en lui. Je reçois la communion, l'esprit vide de toute pensée, dans un présent infini.

De la lumière, de la vie qui entrent en moi.

En revenant lentement vers le fond de l'église, je suis dans un état d'effervescence incroyable, mélange de joie, d'électricité et de sérénité. Je m'agenouille et les larmes coulent à nouveau de mes yeux. C'est inattendu, puissant, stupéfiant. Une énergie énorme me secoue, me traverse. Toutes mes pensées vont à Florian, je ne sais trop quelle prière je formule, il n'y a plus vraiment de mots, je deviens tout entier une prière, tout mon être est emporté, *je suis* au cœur d'une prière qui n'est plus faite de phrases, de paroles, de cérémonie d'aucune sorte, dans une intention pure vers mon grand-père. Et, à ma stupeur, elle me transporte dans l'instant *à ses côtés*. J'en prends conscience car les émotions subtiles qui me viennent ne sont plus les miennes : elles proviennent de lui. C'est diffus, noyé dans ma propre émotion, cela ne dure que l'espace de brefs flashs, mais je suis avec lui.

Voilà ce qui est en train de se produire : les yeux fermés, les genoux au sol, dans une église de Chandigarh, par je ne sais quel prodige, je suis avec lui. C'est une véritable communion, d'une puissance qui me sidère, une sensation physique intense, j'ai des picotements dans l'ensemble du corps. Le temps a disparu, je me trouve tout près, contre lui. Nos joues se touchent, je suis allongé à ses côtés. Mon énergie se mélange à la sienne. Je ne sais dire cela autrement, nos visages sont posés l'un contre l'autre, lui le mourant, moi le voyageur pourtant à des milliers de kilomètres, et *réellement* l'un contre l'autre à cet instant. Je sais à cette seconde que ma sérénité le rassure, qu'une force nous enveloppe tous deux. Je sais dans mon corps ce qu'il est en train de vivre, je vois l'instant de la mort, elle est là, devant son regard, nous l'observons tous les deux, elle n'est pas effrayante, même si elle fait peur, c'est l'inconnu qui coupe le souffle. Je sens sa crainte, cette appréhension, et son envie aussi. Un grand trouble, il se cramponne à ce qu'il connaît, cette existence de fatigue, d'épuisement, en même temps qu'il a ce désir de lâcher.

Comment se peut-il que je puisse l'accompagner ainsi ? Qu'est-ce qui a permis, l'espace de quelques secondes, quelques fragments de seconde, que je me trouve si physiquement à ses côtés ? Je reste ainsi, saisi, stupéfié, vibrant, un long moment.

Puis l'expérience s'estompe doucement, la messe s'achève sans que je m'en rende compte, et le monde réel reprend sa consistance, sa densité.

Je me passe les mains sur le visage, respire une grande bouffée d'air chaud et me redresse, groggy. Je fais quelques pas vers la sortie, mon corps est fébrile, mes muscles électrisés. Dehors, le soleil inonde le ciel bleu. Je peine à mettre des mots sur ce qui vient de se produire. Quelque chose dans cette église m'a porté, j'en ai la certitude. *J'ai été aimé*. Une énergie, quelque chose de *bien*. Le mot

« amour » me vient spontanément, mais je le trouve un peu « tarte » au regard de l'intensité de l'expérience. Une énergie a été générée par cette foule réunie dans une même prière. Et je sais alors que cette énergie est capable de tout. Elle m'a porté contre mon grand-père au seuil de la mort. Elle pourrait dissoudre toute la noirceur et l'ignorance du monde, en un instant, en une seconde.

L'énergie des hommes qui prient.

Il ne s'agit pas de religion, je parle d'un élan spirituel. Il peut éclater en chaque être, en tout lieu. C'est une puissance infinie au cœur de chacun de nous. Partout, même dans la pire des obscurités, elle est là, attend d'être réveillée. Une énergie insondable. Un potentiel d'amour intense, qui m'a submergé d'émotion.

Je marche dans la rue, habité par une sérénité nouvelle, flottant dans le présent. Il fait maintenant jour en France, aussi je rallume mon portable et téléphone à ma mère. Elle est au chevet de son père. Florian va bien. Il a mangé un peu mais reste très faible. Je ne réalise que plus tard dans l'après-midi : nous sommes le dimanche des Rameaux, c'est la raison pour laquelle tous les fidèles ce matin avaient ces longues feuilles. Le dimanche des Rameaux est le début de la Semaine sainte. Le terme de cette semaine, ce sont les trois jours de Pâques : le vendredi, crucifixion et mort de Jésus sur la croix, le samedi, rien, puis le dimanche, résurrection. Le jeudi de cette semaine, Jésus instaure l'eucharistie – l'action de grâce, le remerciement.

C'est le jour de la mort de Thomas.

Jeudi saint.

Des mots d'Antoine me reviennent, cet ami qui à Kaboul nous a aidés dans les heures qui suivirent l'accident :

— Le but de la vie spirituelle est de rester dans cette impression d'être aimé. Cela est donné par quelqu'un à la fois extérieur à nous et plus intime que nous-mêmes. La prière est un laisser-aller...

30

Dharamsala

Le mercredi nous quittons Chandigarh dans la solitude de l'aube. Florian est toujours vivant, flottant entre deux mondes. Une demi-journée de route est nécessaire pour atteindre un paysage plus vallonné. Nous arrivons à Dharamsala, une ville de belle taille posée sur les contreforts de l'Himalaya, en début d'après-midi. La communauté tibétaine est installée plus haut, dans la bourgade de McLeod Ganj. Pour y accéder, il faut emprunter une longue route sur laquelle deux véhicules se croisent avec peine, une interminable boucle qui suit le flanc des montagnes.

Le village paraît changé, plus effervescent qu'il y a sept ans, date de ma dernière visite. Les constructions ont poussé et conquis les pentes abruptes autrefois seulement plantées de rhododendrons géants. Aujourd'hui s'alignent restaurants, échoppes et hôtels qui n'existaient pas il y a peu. Les touristes indiens, en famille et élégants, montés de la plaine au volant de voitures coréennes, croisent les routards occidentaux, sac au dos. Il y a foule.

Au bas du village, un sens giratoire semble avoir été décidé. Pour monter on prend par la gauche et pour redescendre à droite. Voilà même d'imposants autobus qui s'engagent dans la rue centrale et frôlent de leur masse les devantures fragiles des boutiques de souvenirs derrière lesquelles attendent des bouddhas dorés, des tabliers brodés et des rouleaux d'encens. Dans cette circulation se glissent de nombreux moines aux robes grenat, des Tibétains récemment échappés du Tibet, le visage étonné et les pommettes rouges, des touristes étrangers, des Indiens riches en blazer, quelques mendiantes menues vêtues de haillons, jeunes filles aux visages graciles et déjà mères, de nombreux passants, boutiquiers, curieux, des enfants tibétains en uniforme bleu tout juste sortis de l'école.

Comme moi, Carl est frappé par cette frénésie nouvelle. Il est étonnant de constater combien ce lieu est différent du souvenir que nous avions gardé. Les choses avancent très vite en Inde. Nous trouvons un hôtel où il reste quelques chambres libres. Nous dînons tôt, bavardons un peu. Ma nuit est habitée de rêves décousus.

Au même instant, en France, ma mère se trouve au chevet de son père. C'est la dernière nuit. Il est très faible, son corps est épuisé, il respire avec peine. Elle lui parle. Ce sont des phrases d'une fille à son père. Celles que l'on sait être les dernières. Il faut dire l'essentiel et les longues journées précédentes ont permis de s'en approcher lentement, de glisser vers cet état d'intimité si particulier. Florian touche à la fin de sa vie, c'est un endroit tout petit, réduit à l'espace de sa chambre, et ce lieu est rempli de ceux qui furent sa famille, ses enfants durant cette existence. De la vie concentrée. Et les mots viennent à ma mère, simples, vrais, emplis d'amour.

Mon grand-père la regarde et ne parvient pas à répondre, alors il lève doucement sa main et la passe sur le visage de sa fille, posant une caresse sur sa joue. Elle approche ses lèvres de son oreille et lui murmure :

— Tu peux partir quand tu veux.

Elle ajoute que demain, c'est Jeudi saint, jour où Thomas est mort, et il ne sera sans doute pas bien loin.

Florian meurt le lendemain, au matin.

31

Un guide pratique :
le livre tibétain des morts

Une mort, une nouvelle fois, qui déclenche en moi cette sensation intense de proximité. C'est d'abord un sentiment de continuité qui s'impose. Pas un arrêt, pas une fin, mais une évolution. Je suis debout dans l'air vif, seul, au début du sentier qui fait le tour de la résidence du dalaï-lama et qu'empruntent avec dévotion quantité de Tibétains. Il y a ce silence. Quelques minutes où mon esprit est posé. L'annonce de la mort de Florian réduit le temps. Comme si toute la vie était aspirée vers cet instant de présent.

Voilà Florian de l'autre côté, surpris, sans doute confus mais encore là, pas disparu, pas absorbé dans le néant mais encore vivant. J'en ai la certitude et ce n'est pas une déduction, une pensée élaborée, c'est bien une perception : il existait quelque chose de vivant entre mon grand-père et moi, et ce quelque chose n'a pas été interrompu.

Ce que je sens, le bouddhisme l'a exploré avec méthode. Ainsi, selon le dalaï-lama, mon grand-père se trouve dans ce moment où les niveaux les

plus profonds de l'esprit se manifester[...]
chose de lui se transforme, se modifi[...]
autre vie. Et il est laissé seul dans c[...]
recevait l'attention de sa famille, du p[...]
gnant, tant qu'un souffle passait encore entre ses
lèvres, mais après, une fois la mort prononcée,
nous quittons la pièce, laissons le corps, nous agis-
sons comme si cela ne nous concernait plus. Parce
que « c'est fini » ! Quelle formule lapidaire.

C'est fini, Florian ? Je ressens exactement l'inverse ! Son existence se poursuit et nous pourrions
l'aider, nous pouvons aider tous nos morts. « La
mort n'est pas un événement limité à un moment
donné mais un processus qui se prolonge souvent
longtemps[2]. » Ce point, si profondément au cœur
de la vision bouddhiste, est hors de notre réalité.

Mais je le vis.

Son évidence emplit mon corps à cet instant.
Et je réalise combien, dans notre société, nous
abandonnons nos proches sitôt qu'ils meurent.
Oui, c'est un véritable abandon. Nous entourons
nos nouveau-nés de tant d'attention et d'amour,
mais nos morts aussi sont des nouveau-nés, en
train de naître ailleurs. Tu es mort, tu n'existes
plus, démerde-toi ! Quelle drôle d'idée...

Devant Thomas, immobile à jamais, j'avais senti
qu'il ne fallait pas que je l'abandonne. J'avais senti
qu'il entrait dans une autre vie ; même si je n'avais
pas de mots, même si j'étais incapable de le

---

1. Sa Sainteté le dalaï-lama, *Vaincre la mort*, *op. cit.*, p. 49.
2. *Bardo-Thödol. Le livre tibétain des morts*, présenté par Lama Ana-
garika Govinda, Albin Michel, 1981, p. 59.

prendre, ignorant ce que je devais faire, j'avais
.ti. Et si j'ai éprouvé spontanément ce besoin
pour Thomas et Vadim, je ne dois pas être le seul,
bien des gens doivent se retrouver ainsi, désem-
parés et impuissants devant une dépouille tandis
que bataille en eux cette idée, cette intuition que
quelque chose devrait être fait. Mais quoi ? Oui, que
faire devant un corps vide ? Que faire alors que le
désarroi nous saisit ? Que faire devant la mort,
alors qu'on nous presse de sortir, pour nettoyer la
chambre ?

Le *Bardo-Thödol* sert précisément à cela : guider.
C'est l'usage que lui donnent les Tibétains. Y a-t-il
un moyen de juger de son utilité ? Cet ensemble de
textes improprement traduit par « livre des morts »
doit, selon la tradition, être récité à haute voix
devant le cadavre afin de guider la conscience du
défunt à travers les méandres des états émotionnels successifs qu'il s'apprête à vivre. La traduction
exacte du titre tibétain est : « la grande libération
par l'audition dans les états intermédiaires », car
les Tibétains pensent que le défunt est en mesure
d'entendre ces conseils et de s'en inspirer. « Ce n'est
pas un guide des morts mais un guide de tous ceux
qui veulent dépasser la mort, en métamorphosant
son processus en un acte de libération[1]. » Le texte
décrit ce que les vivants doivent faire ou ne pas
faire, et instruit le défunt sur les différentes étapes
qu'il va être amené à traverser. Ainsi est-il recom-
mandé de s'adresser au défunt à haute voix, encore
et encore : « Noble fils, ce qu'on appelle la mort est
arrivé pour toi. Tu dois t'en aller au-delà de ce

---

1. *Ibid.*, p. 19.

monde. Il n'y a pas que toi à qui cela arr
sort de tous. Ne t'accroche pas à cette v
tu t'y attaches, tu n'as pas le pouvoir d
ici. Il ne te reste rien d'autre que d'e...
cycle des existences. […] Ne l'oublie pas, car le sens
de cet enseignement est que tu reconnaisses dans
chacune des apparitions, si horrible soit-elle, la
manifestation de tes pensées[1]. »

*Noble Florian, ce qu'on appelle la mort est arrivé
pour toi. Tu dois t'en aller au-delà de ce monde...*

Loin d'être une longue litanie exotique et abstraite, je vais découvrir combien le *Bardo-Thödol* se
veut un outil pratique. C'est un texte bouddhiste
évoquant des symboles, des idées, des réalités
bouddhistes. Parfois les conseils semblent répéti-
tifs, mais je vais être frappé par une chose : ce
texte, écrit voilà de nombreux siècles, évoque avec
une grande précision les états psychologiques que
j'ai vécus sous l'emprise de l'ayahuasca alors que je
pensais être en train de mourir, trois mois auparavant ! Les conseils donnés au défunt tout au long
des pages du *Bardo-Thödol* ressemblent aux recommandations qui m'étaient faites en Amazonie pour
pacifier mes émotions et ne pas me laisser emporter par le déchaînement de mes visions.

Ce détail fait plus qu'éveiller ma curiosité. Mes
expériences dans la forêt étaient liées à la mort, je
l'ai frôlée, je l'ai sentie glisser contre moi. Comment un texte tibétain écrit voilà des siècles peut-
il décrire à ce point une expérience si intime que
j'ai vécue il y a trois mois ? Les similitudes sont

---

1. *Ibid.*, p. 111-112.

ortantes, et je ne suis pas au bout de mes sur-
ises. « La plupart d'entre nous avons tendance, à
plus ou moins grande échelle, à ne pas être vrais
avec nous-mêmes, réprimant les émotions négatives et conflictuelles jusqu'à nier leur existence.
Au moment de la mort, les mécanismes d'occulta-
tion se désintègrent et la réalité de ce qui se trouve
au plus profond de nous nous apparaît. Lorsque
cela se produit, l'esprit peut être submergé, ren-
dant toute compréhension impossible. C'est la raison pour laquelle il est important de faire face et
de travailler sur ces émotions alors que nous
sommes vivants, lorsque nous sommes en mesure
de les appréhender et de les transformer[1]. »

Je passais mes nuits à ça en Amazonie !

---

1. Rob Nairn, *Living, Dreaming, Dying. Wisdom of Tibetan Psychology*, Kairon Press, 2002, p. 82.

32

Le karmapa

Le lendemain de la mort de Florian, et avant de repartir pour Chandigarh, Carl m'accompagne à une audience que j'ai obtenue avec le dix-septième karmapa. Aujourd'hui âgé de vingt et un ans, Ogyen Trinley Dorje, le jeune moine aux yeux de loup, fut reconnu officiellement à l'âge de sept ans par le dalaï-lama.

Personnage central du bouddhisme tibétain, le karmapa est à la tête de la plus ancienne et la plus riche école du bouddhisme tantrique, celle des Karma Kagyu. J'avais réalisé un film sur lui en 2000, quelques semaines après qu'il se fut échappé du Tibet. Et c'est lui que j'avais également tenté d'appeler par téléphone depuis Islamabad le lendemain de la mort de Thomas. J'étais tombé sur son secrétaire. La nouvelle était passée.

Le karmapa est le détenteur d'enseignements remontant aux origines du bouddhisme tibétain, des enseignements transmis jusqu'à lui par une lignée ininterrompue de grands maîtres. La conscience, la nature des émotions, la mort, les états transitoires de la vie sont des sujets débattus dans ces enseignements, et expérimentés à travers la méditation et d'autres techniques dont les lamas ont acquis la maîtrise par des siècles de pratique, à force de patience et de discipline. Ces espaces sont devenus familiers à ces hommes. Et le jeune karmapa porte cette connaissance en lui, elle est là, derrière ses yeux.

C'est un personnage sans pareil. Son accès est toujours aussi restreint qu'il l'était à son arrivée en Inde. Dignitaire important souvent associé au dalaï-lama, il est protégé par les services spéciaux indiens. Des règles strictes doivent être observées par ses visiteurs lors des audiences. Pas de photos, pas d'enregistrement qui n'aient été préalablement autorisés. Malgré son jeune âge, il doit répondre à un nombre colossal de demandes de la part de fidèles du monde entier, tout en poursuivant ses études – réapprendre, se *reconnecter* avec les enseignements de sa lignée. Il réside depuis janvier 2000 dans la vallée de Dharamsala, au monastère de Gyuteu.

Alors que notre voiture approche du monastère et que sur ma gauche défile la barrière blanche des contreforts de l'Himalaya, je réalise que le précédent tête-à-tête que j'avais eu avec lui – un moment particulier de ma vie – avait eu lieu le 6 avril 2000.

Et nous sommes aujourd'hui le 6 avril 2007.

Après avoir été enregistrés et fouillés, nous montons sous bonne escorte jusqu'à ses appartements situés sous le toit du monastère. Nous attendons à l'extérieur quelques instants, à l'ombre. Je suis

dans un état serein, contemplant la va
peau du Dharma qui claque dans le ve
à mes questions, et le temps semble sc
Est-ce cela, se trouver dans l'instant pré

Lorsque nous pénétrons dans la pièce, le karmapa nous accueille, debout. Il est grand. Il ne
sourit pas, il ne manifeste pas d'émotion. C'est un
homme maintenant, plus cet enfant à la frontière
de l'adolescence. Je m'approche, une écharpe de
soie blanche dans les mains, il s'en saisit et la place
autour de mon cou. Il fait de même avec Carl. Puis
nous nous asseyons et je prends place en face de
lui après lui avoir offert mes deux derniers livres. Il
feuillette l'album photo sur l'Afghanistan, tournant
les pages avec attention. Nos regards se croisent, il
observe beaucoup Carl également.

Il nous *voit*.

Son visage est massif, ses lèvres épaisses, son
nez large. Ses yeux ne sont pas tout à fait identiques. Son attitude est très différente de celle des
autres personnes dans la pièce. Il est tout à la fois
léger, impassible et très concentré. Son visage est
un masque d'humain ne laissant deviner aucun
sentiment, mais sincèrement attentif à ce qui cir-
cule devant lui. C'est-à-dire nous, mais pas seulement. Un visage qui écoute avec application, et
qui, tandis que le traducteur retranscrit ses réponses, se tourne vers moi, se plante en moi, dans mes
yeux, comme un séisme qui se contient, un tourbillon au repos. Les mêmes yeux qu'il y a sept ans,
deux vertiges, deux portes, un regard qui provient
d'autres mondes, un regard familier aussi, comme
un souvenir, que je connais. Un regard qu'il semble
tempérer, tant la puissance qu'il abrite paraît sans

..e. Alors qu'il tourne les pages de l'album, j'ob-
..rve ses mains. Elles sont fines, presque irréelles,
délicates. Il regarde chaque photo. Les photos de
ma vie. Page après page.

Je lui raconte mon cheminement, la mort de
Thomas, mes questions, cette recherche sur la
mort que je poursuis, et je lui décris notamment
les expériences que j'ai menées avec les médiums.
Je lui demande alors si, d'un point de vue bouddhiste, il est concevable d'obtenir des messages de
personnes défuntes. Il me répond d'une voix ferme,
rapide, rocailleuse :
— Oui, c'est possible, mais difficile. Il est rare
qu'une personne décédée puisse communiquer
avec quelqu'un. Toutefois, dans ces cas exception-
nels, cela signifie que cette personne a des capacités particulières, parce que ce n'est pas une chose
que n'importe qui peut faire. Mais c'est possible.
Je ne suis pas surpris d'apprendre que pour les
Tibétains cette communication est donc une réalité. Qu'elle soit difficile, les médiums qui possèdent ces capacités particulières comme Jean-
Marie, Florence, Henry ou Laurent, le disent
tous. Ils répètent qu'il n'est jamais acquis de pouvoir établir le contact avec la personne désirée,
c'est parfois même impossible, bien souvent c'est
très ténu, fragmenté, et dans de nombreux cas,
leurs aptitudes exceptionnelles n'y changent rien,
comme si la clarté des échanges était aussi dépendante des efforts fournis par le défunt pour se
manifester. C'est ce qui ressort de nos expériences,
mais également de tous les travaux menés dans ce
domaine. Et c'est ce que j'ai ressenti en Amazonie.

Je poursuis l'entretien avec le karmapa[...] terrogeant sur la notion de conscience tell[...] décrit le bouddhisme. À lire le dalaï-lam[...] sujet, on a l'impression que la dimension intempo-relle et subtile de la conscience se révèle alors que l'ego achève de se dissoudre en même temps que le corps cesse de vivre. « Il faut garder à l'esprit que la compréhension de la nature de la continuité de la conscience est intimement liée à la compréhen-sion de la nature du "moi" ou du "soi"[1] », dit le dalaï-lama. J'ai besoin d'éclaircissement à ce sujet, je tente de le formuler simplement :

— Comment la conscience subtile, celle qui existerait avant la naissance et survit à la mort, influence-t-elle la matière ? Comment s'exprime-t-elle dans le cerveau ?

Le karmapa garde le silence quelques secondes, puis commence un long exposé.

— Tout d'abord, si l'on aborde ce genre de sujet, il faut avoir à l'esprit que ce n'est pas quelque chose que l'on peut examiner clairement et com-plètement en quelques mots, lors d'une rapide dis-cussion. Il faut s'appuyer sur un certain nombre d'éléments et les intégrer dans la conversation, ainsi on peut se faire une idée, toutefois dans un court échange comme le nôtre maintenant, on ne peut imaginer cerner la question. Mais briève-ment, d'un point de vue bouddhiste, la conscience est comme la chose la plus pure, la forme la plus fine d'activité qui se manifeste. Elle est totalement immatérielle, mais dans certains cas, la conscience

---

1. *The Tibetan Book of the Dead*, edited by Graham Coleman & Thupten Jinpa, Penguin Books, 2005, p. xv.

peut être associée avec la matière. Lorsqu'on parle de matière, n'ayez pas à l'esprit l'idée habituelle de matière, on parle ici de matière qui n'est presque pas de la matière mais plutôt quelque chose d'extrêmement fin, de subtil. La conscience est comme le pur écoulement de la forme la plus fine de la connaissance. Lorsque les causes et les effets sont réunis – sa continuation dépend des causes et des effets, d'une vie à l'autre, d'un temps à un autre – la conscience, dans ces circonstances propres, devient une forme, manifestée à travers une naissance, par exemple la naissance d'un être humain. Alors on peut dire que la conscience est incluse dans ce corps, dans le sens où elle s'exprime à travers ce corps, à travers l'activité des neurones du cerveau. La conscience est alors confinée, et ne peut exprimer ses capacités, ses qualités, qu'à travers la forme physique dans laquelle elle est contenue.

Je ne suis pas sûr de tout saisir. Comme il serait trop long d'aborder cela avec lui, je lui demande s'il pourrait m'orienter vers d'autres lamas avec lesquels il serait possible d'explorer les textes en détail, et que je pourrais questionner à loisir sur ces questions relatives à la conscience ainsi que sur le processus de la mort. Puis je lui parle des expériences de mort imminente et lui raconte brièvement le cas de Pam Reynolds.

— Oui, au Tibet nous avons des expériences similaires. Durant un laps de temps, la conscience peut avoir ce type d'expérience.

Voilà un autre sujet à creuser. Sa réponse m'amène à vouloir, pour conclure, évoquer un épisode sur le lieu de l'accident de mon frère :

— Lorsque mon frère est mort, au moment de l'accident, j'ai eu le réflexe de regarder au-dessus, de lui parler, je lui ai dit : « Tu es mort maintenant. » Je lui ai tenu la main et, au lieu de regarder son corps, j'ai regardé au-dessus, je ne voyais rien mais j'ai regardé au-dessus parce que je pensais qu'il était là...

À peine le traducteur a-t-il fini que le karmapa répond en anglais.

— Oui, oui, oui...

Puis il ajoute en tibétain :

— C'est possible.

Il me regarde à nouveau dans les yeux, comme s'il voulait appuyer ce dernier mot.

— Oui.

Oui, c'est possible. La réponse est laconique : c'est possible. Voilà, pour la théorie, ce que dit le bouddhisme à ce sujet. Mais moi, comment l'ai-je vécu ? Qu'ai-je fait ? Qu'ai-je ressenti alors que la mort était allongée devant moi ? Est-ce que je ne viens pas de le dire, justement ? Je sentais Thomas... Voilà ce que le karmapa me demande, mais sans prononcer un mot. Voilà ce qui se cache derrière la simplicité de cette réponse : le vertige de mes interrogations. Je suis comme un enfant qui repose sans cesse la même question parce qu'il ne comprend pas ce qu'on lui répond.

Notre entretien s'achève. Le karmapa a gardé durant toute la discussion mon album photo entre les mains. Je me lève, le remercie de ce temps qu'il a bien voulu m'accorder. Il me dit qu'il va réfléchir à qui pourrait répondre à mes questions et me fera connaître sa réponse le lendemain. Et nous prenons congé. Je lui dis au revoir, lui aussi, en anglais, avec les mêmes mots que moi, comme en miroir. Ce jeune homme est un miroir.

Carl part directement sur Chandigarh. Je reste une partie de l'après-midi dans l'enceinte du monastère et remonte à McLeod Ganj en taxi en fin de journée.

Le matin suivant, le karmapa me fait savoir qu'il a sollicité Ringou Tulkou, un lama important parlant parfaitement anglais. Je fais connaissance avec lui plus tard dans la matinée. C'est un homme au visage avenant, figure ronde, prévenant, et occupé. Je lui expose mes attentes, mes questions, et nous convenons d'une séance de travail. Toutefois, il n'est pas disponible avant plusieurs jours ; j'ai peine à cacher mon impatience.

Je vais mettre ce contretemps à profit pour lire une nouvelle traduction du *Bardo-Thödol* trouvée dans une librairie de McLeod Ganj, ainsi que quantité de textes et de documents se rapportant au sujet. En définitive, ces journées deviennent délicieuses. Studieuses de l'aube au crépuscule, dans la solitude heureuse de la lecture et l'air vivifiant des montagnes de l'Himalaya. J'alterne les moments d'étude avec de longues promenades. Durant ces journées privilégiées, mes pensées s'ordonnent, toutes mes expériences des mois, des années précédents s'emboitent les unes dans les autres, et j'en viens à me dire que ce retard imposé est finalement un cadeau. Un temps d'intégration qui m'est offert, un peu à l'extérieur de la course du monde, en retrait, quelques instants. Dans une paix reposante.

Florian va être enterré. Thomas est évidemment aussi au cœur de mes balades et de mes méditations. Une semaine s'écoule ainsi, durant laquelle s'opère en moi un changement en profondeur, j'en suis même surpris. Je parviens à observer mes émotions, la colère, mes désirs à distance, sans plus être prisonnier de l'état émotionnel qui les accompagne. C'est amusant de regarder sa colère sans être en colère. Tout d'un coup, elle perd de sa puissance. Je grandis, je le sens, et suis apaisé. Comme rarement.

33

La mort est une métamorphose

Un rendez-vous est finalement fixé au monastère de Gyuteu. Ringou Tulkou est né en 1952 à Lingt-sang, dans la province du Kham, à l'est du Tibet. Il a quitté son pays avec sa famille au moment de la fuite du dalaï-lama en 1959. Il a été reconnu par le précédent karmapa à l'âge de cinq ans comme la réincarnation de l'abbé du monastère de Rigoul. Docteur en philosophie bouddhiste, grand érudit, Ringou Tulkou a étudié sous la direction de différents maîtres appartenant aux quatre écoles du bouddhisme tibétain, dont les principaux furent le seizième karmapa et Dilgo Khyentsé Rinpotché.

Nous partons nous installer à l'arrière du bâtiment principal. Il s'assoit sur un petit parapet, ajuste sa robe grenat, se passe la main sur ses cheveux gris coupés ras, tourne la tête vers moi, et je sens alors émaner de lui une disponibilité, une présence, une attention totales.

Ma première question porte sur la médiumnité. Le karmapa m'a déjà brièvement confirmé que le

bouddhisme considère ce phénomène com[...]
je souhaite avoir plus de détails sur la mani[...]
il en décrypte le fonctionnement, si tel est [...]
voir jusqu'où les similitudes existent entre ce savoir
et ce qu'expérimentent Henry, Laurent, Florence,
Jean-Marie, ainsi que les milliers de femmes et
d'hommes possédant ces capacités particulières.
Comment est-il possible de communiquer avec des
défunts alors qu'ils sont dans le *bardo*, pour les
bouddhistes ?

— Tandis qu'ils sont dans ce que vous appelez
cet état intermédiaire, selon vous les esprits des
morts peuvent-ils communiquer avec les vivants,
des proches, des membres de leur famille par
exemple ?

— Il est possible que des personnes décédées
demeurent dans le *bardo* plus longtemps que de
coutume, me répond Ringou Tulkou, et il est également possible que ces personnes puissent envoyer
des messages de différentes manières, via les rêves,
ou par l'intermédiaire de médiums. Il faut cependant rester vigilant car ce n'est pas nécessairement
tout le temps de la personne décédée que provient
le message. Il est dit qu'il existe des esprits qui
prétendent être des personnes qu'ils ne sont
pas, même s'ils communiquent des informations
justes. C'est une catégorie particulière d'esprits qui
font ça.

— Ce sont des esprits mauvais ?

— Non, pas nécessairement. Ce n'est pas une
question de bon ou de mauvais, mais de genre.

Voilà qui est curieux. À nouveau il m'est donné
les mêmes informations à Dharamsala et à Paris.
En effet, j'ai entendu à de nombreuses reprises les

médiums me dire combien communiquer avec l'au-delà demande un grand discernement et beaucoup de prudence. Ceux qui se présentent spontanément ne sont pas nécessairement les défunts que l'on attend. Les médiums parlent d'entités, d'esprits qui peuvent parfois tenter de se faire passer pour ce qu'ils ne sont pas – ou même croire sincèrement être ce qu'ils prétendent, alors que ce n'est manifestement pas le cas. Précisément ce que me dit Ringou Tulkou. Laurent, par exemple, m'a parlé d'autres catégories d'êtres, pas spécialement mauvais, mais se trouvant dans une forme accrue de confusion ou d'ignorance. La médiumnité consiste à ouvrir un mode de perception, mais alors le médium perçoit tout : les êtres avec qui l'on désire communiquer et aussi *tous les autres*. Ceux qui sont perdus, ceux qui ignorent où ils se trouvent, ceux qui ne savent plus qui ils sont ni d'où ils viennent, ceux qui baignent dans la colère ou la peur, tout ce qui peuple cet autre monde invisible. La plus grande détresse comme la lumière.

Pour les Tibétains, il existe plusieurs règnes d'existence et chacun est caractérisé par des états mentaux et émotionnels particuliers. Tous ces êtres sensibles, dont les humains font partie, ont en commun de ne pas être sortis du cycle des existences, et donc d'être toujours en proie aux mêmes mécanismes mentaux dont ils sont dépendants. Les êtres qui évoluent dans ces différents règnes sont les dieux (*deva*) dont les états mentaux prédominants sont la fierté et l'exaltation, puis viennent les anti-dieux (*asura*) qui font montre de jalousie et d'hostilité, ensuite on trouve les humains qui peuvent expérimenter l'ensemble des cinq différents états émotionnels. Après les humains, les animaux sont, eux, sous la domination de leurs instincts et de la confusion, puis on trouve les esprits tourmentés (*preta*) en proie à l'insatisfaction permanente et à l'attachement, et enfin les démons (*naraka*) possédés par la haine et la peur les plus incontrôlables.

Ces différentes catégories d'êtres sensibles peuvent être vues comme des extrapolations des états psychologiques humains, m'explique-t-on : nous sommes tous susceptibles de faire l'expérience de chacune de ces émotions. Pour les Tibétains, ces émotions nous enferment dans des scénarios de vie qui s'auto-entretiennent. Et ces scénarios se poursuivent dans le *bardo*, après la mort. Exactement ce que rapportent Laurent, Florence, Henry ou Jean-Marie en évoquant ces défunts, ou ces entités, avec lesquels ils sont parfois en contact et qui semblent enfermés dans des histoires émotionnellement très marquées et confuses. Médiums et Tibétains disent donc ici la même chose : communiquer avec les défunts est possible, mais il importe d'être vigilant. Ils dessinent un monde de l'au-delà pour l'instant assez semblable.

Je me pose une autre question à propos de la nature de ces communications médiumniques. Lors des expériences que nous avons réalisées, les médiums ont souvent dit être en rapport avec des personnes décédées plusieurs années auparavant : mon frère, mais aussi le grand-père et la grand-mère de Natacha, la mère de Françoise, etc. Or le

Bardo-Thödol, qui décrit le cheminement de la conscience après la mort et avant une renaissance, parle d'une durée somme toute assez courte, qui peut aller jusqu'à quarante-neuf jours entre ces deux événements. Ce n'est pas la question de la réincarnation qui m'occupe aujourd'hui, mais cette entrée et ce séjour dans la mort. Je veux clarifier cette notion de durée dans le *bardo*. Je demande à Ringou Tulkou :

— J'ai lu que le séjour dans le *bardo* dure au maximum quarante-neuf jours. En quoi consistent ces journées ?

— Il n'y a aucune certitude à ce propos. Parfois la conscience reste quarante-neuf jours dans le *bardo*, mais parfois ce peut être moins que cela. Le temps est très relatif, le temps est subjectif.

— Je m'interroge sur la possibilité de rester dans cet état intermédiaire de très longues périodes. Car lors de contacts médiumniques on obtient par exemple parfois des messages de personnes mortes plus de cinquante ans auparavant.

— Habituellement, il est dit qu'au moment de la mort, vous survolez l'ensemble de votre vie. Ce qui se produit après la mort est difficile à dire parce que cela dépend beaucoup de la personne elle-même. Si elle est bloquée par quelque chose, si par exemple elle est morte de façon violente, ou s'il y a trop d'émotions, d'attachements, ce genre de choses, alors elle peut rester bloquée.

Je comprends que le bouddhisme ne perçoit pas ces quarante-neuf jours comme des jours terrestres. Il me sera confirmé à plusieurs reprises qu'une journée dans le *bardo* peut correspondre à plusieurs de nos années et les lamas admettent que l'on puisse tout à fait y demeurer des a... nies de notre temps terrestre.

Les Tibétains ont élaboré un modèle, une carto-graphie détaillée du monde de l'après-vie dont la précision est basée sur des siècles d'expériences directes. Ce savoir centenaire acquiert à mes yeux aujourd'hui une saveur particulière devant l'absence de contradiction entre ce que ce modèle explique de l'après-vie et les descriptions faites par les médiums en Occident.

Pour continuer sur les parallèles existants entre expérience occidentale et tradition bouddhiste, je questionne Ringou Tulkou sur les *délogs*, ces hommes ou ces femmes qui sont prétendument morts puis revenus à la vie, et qui racontent ce qu'ils ont vu dans le *bardo*. Les récits que font les *délogs* tibétains de leurs « voyages » ressemblent de manière troublante aux expériences de mort imminente. Le karmapa a déjà brièvement évoqué le sujet après que je lui eus parlé de Pam Reynolds. Alors, s'agit-il de la même chose ? Et dans ce cas, les EMI ressemblent-elles à ce qui se produit au commencement de la mort ?

— Oui, en quelque sorte, me répond Ringou Tulkou toujours avec la même concentration, parce que d'ordinaire les personnes qui ont vécu une EMI ont été cliniquement mortes quelques instants, avant de revenir. D'un point de vue boud-dhiste, on peut aller jusqu'au point où votre disso-lution extérieure est terminée, puis revenir. On peut dire que les EMI sont des expériences très similaires au début de l'entrée dans le *bardo*. D'un point de vue bouddhiste, lorsque vous êtes hors de

, lorsque votre conscience meurt com-
revenir est très difficile, mais sans
xpériences se produisent-elles dans l'in-
rce qu'il est possible de quitter son
 en des manières différentes. Les EMI
pourraient être cela : pas complètement la mort,
mais le début de la sortie de la conscience du
corps.

Voilà plusieurs fois que j'entends ou lis le mot
« dissolution » lorsque l'on évoque le processus de la
mort. Dissolution de la conscience. Dans le bouddhisme, la conscience n'est pas considérée comme
une chose permanente, mais plutôt comme un
continuum. Ce n'est pas juste une « chose » qui serait
« là », dans le cerveau ou ailleurs dans le corps. C'est
une continuation, une suite de fragments d'instants,
mais pas un moment qui existe en soi. Chaque
moment présent de conscience trouve son origine
dans un instant précédent de conscience.
La notion de continuité est essentielle.
Tout mon être, mon corps, mes émotions, mes
perceptions, mes expériences donnent une apparence à ce moment présent de ma conscience. Elle
est comme le fil infini d'une succession d'instants,
la somme de mémoires innombrables, le déroulé
d'une existence, des souvenirs, des expériences,
une manière de voir, des émotions. L'expression de
tout cela. Ce continuum de vie est constamment en
train de se transformer. À chaque seconde. Pour les
bouddhistes, la mort n'interrompt pas l'existence
de la conscience. Elle n'est cependant plus vraiment la même, de même que la conscience d'hier
et celle d'aujourd'hui sont différentes.

Pour les bouddhistes, il existe différents niveaux de subtilité de la conscience. Ce à quoi nous avons accès au quotidien est notre conscience « grossière ». Elle est dépendante du corps physique, du mental et des énergies qui existent à ce niveau. Elle est liée au fonctionnement du cerveau et son existence est dépendante du corps physique. Dès la mort cérébrale, cette conscience grossière disparaît. Mais rien ne sort du corps, aucune « âme » ne s'envole, en réalité la conscience se transforme en des formes plus subtiles. C'est là le point fondamental : la mort provoque la *transformation* de la conscience. Une gigantesque transformation. C'est le moment où se désagrège la conscience grossière apparue au premier instant de la conception, pour laisser émerger ce quelque chose en nous de si subtil qu'il demeurait invisible dans le tumulte de notre existence. Une conscience plus subtile, un cœur enfoui au fond de nous.

Est-ce ce feu implacable que je sentais en moi lorsque j'étais enfant ? Je me souviens de ces moments où la sensation d'être tellement à l'étroit dans ce corps de chair était terrible ! Je voulais écarter les bras et tout laisser jaillir, la lumière, l'énergie, être moi, pleinement, tout entier. Je ressentais dans mon corps d'enfant tous les univers qui y avaient été enfermés. De l'énergie pure. J'étais bien plus grand qu'un mètre douze, bien plus vaste que cette enveloppe d'être humain. Je me sentais physiquement comprimé dans ce petit corps. Et puis je me suis recouvert d'une couverture, elle a pris de l'épaisseur, de la personnalité. Un individu s'est élaboré lentement, à partir de tout ce que le monde m'a renvoyé. Tout ce que j'ai vu, senti, ce qui m'a émerveillé, m'a fait peur. Et les souvenirs importants sont devenus inaccessibles. En quelques décennies, la carapace est devenue redoutable.

À l'instant de la mort, dit le dalaï-lama, ce qui demeure est cette conscience subtile, cet être absolu auquel nous avions encore parfois accès, enfants. Au moment où le corps physique cesse de fonctionner, les bouddhistes parlent donc de *dissolution* des différents degrés de conscience. Pourquoi dissolution ? Parce que, littéralement, *bardo* signifie « moment », « intervalle », ou « entre ». Aussi, « passer d'un *bardo* à un autre nécessite un transit spécifique. Chaque *bardo* n'est pas simplement un état de conscience mais implique d'être dans un règne différent dans lequel s'appliquent différentes conditions, potentiels et limitations. Pour quitter un *bardo*, par exemple la vie, nous devons nous en *dissoudre*. Ainsi la conscience se dissocie des éléments dans lesquels elle était incluse et qui lui permettaient de fonctionner dans ce *bardo* [1] ».

C'est donc comme s'il y avait une sorte de prégnance, d'inclusion, d'imprégnation de la conscience dans les éléments qui nous composent, une fusion qui permettrait à une conscience immatérielle de « fonctionner », de percevoir, de s'exprimer, de se souvenir, d'apprendre.

Lorsque la mort survient, on n'observe pas seulement une « sortie » de la conscience du corps, mais une véritable dissolution d'un des aspects de cette

---

1. Rob Nairn, *Living, Dreaming, Dying, op. cit.*, p. 12-13.

conscience. Quelque chose de fondamental se produit. Une métamorphose. Cette étape de la dissolution est un processus dont il est possible d'observer et de suivre les étapes, tant sur la physiologie du corps en train de mourir qu'au niveau des énergies et des éléments subtils. Dans l'ouvrage rédigé avec Jeffrey Hopkins, *Vaincre la mort*, le dalaï-lama évoque en détail ces différentes étapes [1].

---

1. Sa Sainteté le dalaï-lama, *Vaincre la mort*, *op. cit.*, p. 102 et suivantes.

34

Nos émotions façonnent la vie…
et la mort

Le bruit des cymbales claque au milieu du grondement des trompes. L'air tremble. De la salle centrale du temple nous parvient le tumulte d'une cérémonie. Puis ce sont les voix graves des lamas qui se lancent dans une psalmodie rythmée, étouffée par l'épaisseur des murs. Un fond sonore familier. Ringou Tulkou attend ma question suivante.

La mort est une métamorphose. Cela signifie que tout se transforme : dans ce processus de dissolution, que deviennent alors l'attention, la clarté d'esprit, l'éveil ? A-t-on conscience de ce qui se produit ?

— Est-ce que la dissolution de la conscience grossière est un processus automatique au moment de la mort ?

— Oui, cela se produit pour tout le monde. Mais la manière dont cela se passe dépend de la façon dont vous réagissez. Alors que vous vous engagez dans le processus de la mort, si vous comprenez ce qui est en train de se produire, alors vous êtes moins effrayé, vous pouvez vous détendre et en

tirer des bénéfices. Il faut vraiment comp[...]
point de vue bouddhiste : chaque insta[...]
moment de *bardo*. Nous sommes con[...]
dans un état intermédiaire, en transition,[...]
dans un moment statique. Cet état n'existe pas.
On parle de quatre *bardos*, parfois de six. Il y a
le *bardo* de la vie entre la naissance et la mort,
nous sommes dans ce *bardo* en ce moment.
Puis, l'instant de la mort est en soi un *bardo*, puis
l'après-mort est encore un autre *bardo*, comme
le processus de renaissance. Et chaque *bardo*
représente une occasion. C'est la chose la plus
importante à comprendre dans les enseignements
sur le *Bardo-Thödol* : chaque instant est une occasion, la vie est une immense suite d'occasions qui
nous offrent de voir notre véritable nature.

Si vous comprenez ce qui est en train de se produire, dit Ringou Tulkou, alors vous êtes moins
effrayé. Les textes que j'ai lus, puis les paroles de
Ringou Tulkou font écho en moi aux expériences
chamaniques vécues quelques mois auparavant en
Amazonie. Parvenir, dans ce moment de grand
bouleversement qu'est la mort, à reconnaître la
vraie nature de ce qui apparaît, à ne pas se laisser
submerger par ses émotions, tels étaient les
conseils de Guillermo. Et le *Bardo-Thödol* dit précisément la même chose. « Soyez préparé à ce
que, dans l'état intermédiaire, il puisse se produire
de nombreuses apparitions étranges, tant mer-
veilleuses qu'horribles. Comprenez maintenant
que tout ce qui surgit peut être transformé grâce à
votre imagination [1]. »

---

1. *Ibid.*, p. 171.

e suis impressionné par les similitudes entre les conseils donnés aussi bien par les chamanes que par les tibétains dans un tel cas. Ces traditions s'adressent avec les mêmes mots, les mêmes descriptions, les mêmes recommandations aux personnes qui traversent ces profonds états émotionnels *après* la mort. Les Tibétains à travers le *Bardo-Thödol* et des enseignements centenaires, les chamanes par leur expérience directe des « voyages » dans le pays des morts, le savoir et la connaissance donnés par le travail avec les plantes maîtresses.

Le reflet du monde des morts se voyait d'ailleurs dans les yeux rieurs et sans fond de Ricardo.

À peine quelques mois se sont écoulés et j'ai encore présents à l'esprit le vertige, l'absence totale de contrôle, la perte de toute maîtrise de mes pensées et de mes émotions alors que je vivais ces expériences chamaniques. J'ai vraiment l'impression, aujourd'hui, face à Ringou Tulkou, de mettre des mots, de décrypter tous les états psychologiques par lesquels je suis passé lors de ces états modifiés de conscience. Et la mort n'en est-il pas un ? Un état *définitivement* modifié de la conscience ?

Je comprends alors mieux ce que préconisent les enseignements bouddhistes lorsqu'ils invitent à essayer de vivre sa mort consciemment. À tenter de s'engager dans ce processus de dissolution, cette métamorphose, avec confiance et sérénité, sans se laisser emporter par ses émotions. « Vos pensées, votre état mental, peu de temps avant la mort, sont essentiels. Même si vous avez pratiqué durant votre vie des attitudes vertueuses, une tendance à l'approche de la mort, peut nourrir les

prédispositions dangereuses que nous posséc
tous. Cet instant est crucial. Par exemple, le bru
que produit quelqu'un qui pose un objet trop violemment peut susciter chez l'agonisant de l'irrita-
tion ou de la colère. [...] Il est important que les
personnes qui accompagnent les mourants sachent
que l'esprit de la personne qui trépasse est fragile ;
elles doivent prendre garde de ne pas déranger le
mourant en parlant fort, en pleurant et en manipu-
lant brusquement les objets au lieu d'imposer un
environnement paisible[1]. »

Hypersensibilité, perte des repères spatio-
temporels, ballotté par la moindre émotion, flot
incessant de pensées désordonnées, plus je relis les
textes, plus leurs similitudes me sautent aux yeux :
« Lorsque l'esprit du mort entre dans l'état intermédiaire, il ne sait tout d'abord pas qu'il est mort. Il se
croit encore vivant et s'étonne que le monde qui
l'environne soit subitement si différent[2]. » Voilà ce
que dit le texte du *Bardo*. C'est la même chose que
ce qu'expliquent les chamanes amazoniens, et
c'étaient aussi les mots utilisés par les médiums
Jean-Marie, Laurent, Henry, Florence, lorsqu'ils
me décrivaient ce qu'avait traversé Thomas dans
les minutes qui suivirent sa mort, debout, confus,
la voiture dans le dos, face aux collines fauves de
l'Afghanistan.

Tout le monde, sur cette planète, dit finalement
à peu près la même chose. Pour les bouddhistes
comme pour les chamanes amazoniens, tous les

1. *Ibid.*, p. 106.
2. *Bardo-Thödol, op. cit.*, p. 62.

nous accomplissons, les pensées que
...isons, nos intentions ont une influence
...onscience. Et cette influence façonne
...ces inconscientes qui déterminent nos
perceptions et nous poussent à agir[1]. En d'autres
termes, nos pensées, nos actes, nos intentions
créent le monde.

Nos intentions dessinent la réalité.

Ce processus d'auto-entraînement m'a stupéfié
lors des sessions d'ayahuasca, tant j'ai pu en mesurer la puissance. J'ai vu le pouvoir de mes pensées,
comment elles prenaient corps dans l'instant, comment elles coloraient l'obscurité. J'en ai senti la
force, et l'impossibilité de les contrôler par le raisonnement intellectuel. Ce mécanisme nous est
imperceptible dans la vie courante. À l'instant de la
mort, il nous submerge.

J'ai discuté de ce point avec un autre lama, un
homme âgé et profondément impressionnant du
nom de Tenga Rinpotché. Ce grand maître est présent à Dharamsala afin de transmettre au karmapa plusieurs enseignements. Tenga Rinpotché
fait partie des quelques maîtres de méditation
vivants. Devant les descriptions parfois assez précises et tangibles données par des défunts, je lui ai
demandé si l'on pouvait aller jusqu'à recréer un
monde dans le *bardo*. Il m'a répondu :

— Lorsque la personne est dans le *bardo*, elle
voit des apparences et, en fonction des habitudes
héritées de sa vie précédente, elle aura tendance à
voir des choses qui ressemblent à sa vie précédente. Le défunt voit des chaises et des maisons

---

1. *Ibid.*, p. 113.

comme celles que l'on voit dans sa vie précédente. La plupart du temps, c'est comme ça, puis de temps à autre apparaissent des visions effrayantes, du feu, du vent, des inondations, des choses qui génèrent beaucoup de peur et de terreur, mais ce n'est pas souvent, en général on voit ce qui provient de nos tendances et des habitudes héritées de la vie antérieure. Ce sont des apparitions dues à la confusion. Il est aussi dit qu'il n'y a pas de soleil ni de lune. On peut voir de telles choses, mais il n'y a pas de soleil ni de lune dans le *bardo*, aussi vous pouvez sortir sans craindre d'être brûlé par le soleil ou d'attraper froid la nuit au clair de lune. Entre le moment où une personne meurt et le moment où elle prend un nouveau corps, on vit dans ces apparitions confuses du *bardo*. Il peut se passer bien des choses différentes dans le *bardo*. Certaines personnes, après quarante-neuf jours, prennent un nouveau corps, mais d'autres errent dans le *bardo* six ans, quinze ans, sans être capables de prendre un nouveau corps. La raison en est que parfois, lorsque les personnes meurent, dans un endroit agréable par exemple, dans un endroit auquel elles sont très attachées, à cause de ces attachements elles errent dans le *bardo*. L'attachement est une cause importante de cette errance.

Au moment de la mort, cependant, la puissante métamorphose que traverse la conscience offre une occasion rare de *voir* la réalité fondamentale de ce mécanisme. Voilà en quoi la mort est une occasion extraordinaire : elle offre de *voir* comment la conscience illumine le monde.

Plus prosaïquement, ce que nous n'affrontons pas durant notre vie réapparaît au moment de la mort, parce que cela fait partie de nous. Les choses que l'on se refuse à régler ne disparaissent pas. Les peurs, les frustrations, les jalousies, les regrets, les envies, toutes ces émotions inexprimées que l'on tente d'enfouir au fond de nous ne s'effacent pas. Les ignorer ne résout rien. Elles vieillissent avec nous. Nous subissons leur influence inconsciente notre vie durant, et devons leur faire face au moment de la mort. Parce que nos pensées, nos émotions et nos actes ont une influence sur notre conscience, et qu'au moment de la mort tous les verrous sautent, tous les filtres disparaissent, et nous sommes face à nous-mêmes.

35

La mort n'est pas une terre étrangère

Si la mort offre une telle occasion, mais que le processus provoque de si profonds bouleversements émotionnels, peut-on s'y préparer ? Oui, par un apprentissage de chaque instant. Par la mise en œuvre d'une discipline qui est le fondement même de la philosophie bouddhiste. Le karmapa en a parlé lors de l'audience publique donnée le matin même, avant que je ne m'entretienne avec Ringou Tulkou, et à laquelle j'ai assisté. Il s'est adressé aux centaines de personnes venues recevoir sa bénédiction dans la grande salle centrale du monastère.

— Lorsque l'on fait beaucoup d'efforts dans sa pratique, il arrive que surgissent bien des questions, des difficultés et même de la confusion. On a alors le sentiment que malgré la pratique, on en est au même point que ceux qui ne font strictement rien. Nos efforts ne donnent pas de résultat sans doute parce que nous ne comprenons pas le point principal de ce que nous sommes en train de faire. Tous ces efforts sans une compréhension de notre pratique n'apportent pas la paix de l'âme. Il faut savoir où l'on va, ce que l'on recherche. Connaître le but, ce que l'on veut trouver. La paix de l'esprit ne peut être trouvée en dehors de soi-même. Ce n'est pas quelque chose que l'on attrape, il faut en faire l'apprentissage.

La paix de l'esprit n'est pas quelque chose que l'on attrape, il faut en faire l'apprentissage. En faire l'apprentissage, c'est apprendre à pacifier son esprit, ses émotions, dissoudre la colère en soi. Comment s'y prendre ? Faire l'apprentissage ne veut pas seulement dire comprendre. Je l'ai constaté au Pérou : ma compréhension, mon intellect ne m'étaient pas d'une grande utilité alors que je traversais de puissants états émotionnels, similaires à ce que l'on doit vivre au moment de la mort. J'avais beau savoir tout un tas de choses, lorsque la nuit enveloppait la *maloca* et que la cérémonie commençait, je n'étais plus maître de rien et mes peurs, mes souvenirs, mes émotions se mettaient à dessiner une drôle de vie, le paysage d'une curieuse réalité. Toutefois, ces expériences chamaniques m'ont permis de réaliser que ces états de conscience modifiés sont des extensions des états de conscience dont nous faisons l'expérience à chaque instant, dans le sens où ils ne me sont pas étrangers, je peux les rencontrer en d'autres occasions. Et notamment la nuit, lorsque je rêve. Comme le dit le dalaï-lama : « Les rêves sont la forme la plus intime de notre relation à nous-mêmes[1]. »

---

1. *Dormir, rêver, mourir. Explorer la conscience avec le dalaï-lama*, sous la direction de Francisco J. Varela, Nil Éditions, 1998, p. 107.

Si tel est le cas, et je sens que ça l'est, alors efforts, la discipline mentale que Guillermo m₍ conseillait de mettre en pratique lors des sessions, je dois les appliquer à chaque seconde, à chaque instant. La pratique commence maintenant ! Je suis en train de le comprendre. Ça monte depuis des semaines, des mois. Il me faut être attentif à mes pensées ainsi qu'à mes actes dans la totalité des moments et des événements de ma vie. Sans omettre précisément ceux qui éveillent en moi ces émotions que sont colère, jalousie, envie, etc. Si un événement me met en colère, je dois réaliser qu'en réalité, rien d'extérieur n'est la cause de cette colère, mais que c'est moi qui lui permets de s'exprimer, qui l'autorise, l'accepte, l'accueille, qu'elle nourrit une partie de moi.

Avoir ce réflexe permet d'opérer un pas de côté : pourquoi est-ce que cette situation me met en colère ? Pourquoi cet événement provoque-t-il une sensation de jalousie, d'envie ? Qu'est-ce que cela éveille *en moi* qui provoque cette émotion ? Ce simple pas de côté marque déjà une évolution considérable. Soudain nos émotions négatives ne sont plus la faute *des autres*.

Depuis que je m'efforce d'appliquer cette discipline mentale, et cela requiert une constante vigilance, je peux observer un petit progrès. C'est très satisfaisant. Et simple. Effectivement, au fil de ces dernières années, mes rêves se sont apaisés. La guerre a grandement disparu de mes errances oniriques, les meurtres aussi, comme la violence et le sang. À écouter Ringou Tulkou, c'est rassurant, en ce qui me concerne. Car il est dit que si vous voulez savoir de quel état de conscience vous ferez

ce dans le *bardo* de la mort, il suffit de
les rêves[1]. Je questionne Ringou Tulkou

Nous pensons effectivement que le niveau de
conscience dont nous faisons l'expérience dans le
bardo de la mort et celui dont nous faisons l'expérience dans l'état de rêve sont similaires. Nous
pouvons être très conscients ou au contraire nous
trouver à différents degrés d'inconscience, aussi le
rêve et le *bardo* de la mort sont-ils très similaires.
Par exemple, si dans vos rêves vous réagissez d'une
manière claire, lucide, positive, alors il est très probable que vous réagirez de la même manière au
moment de la mort. Le rêve peut être vu comme
un indicateur de la façon dont vous réagirez au
moment de la mort.

Notre mort ressemblera à nos rêves, car des processus similaires, bien que d'intensité différente,
sont à l'œuvre dans ces deux états. « Au moment de
la mort se produisent de puissants changements
psycho-physiques. Ils donnent lieu à des expériences intérieures profondes [...] Ce dont nous
ferons tous l'expérience sont les mêmes états hypnagogiques qui accompagnent le moment de l'en-
dormissement. Notre psychologie va directement
influencer ce qui nous apparaît. Il se produira une
perte de contact avec le corps physique, processus
accompagné par des bruits sourds et des lumières
brillantes de différentes couleurs. Ces sons et ces
lumières se produiront à une échelle gigantesque
et notre conscience sera submergée. La plupart des
gens ne réalisent pas qu'ils sont en train de mourir,

---

1. Rob Nairn, *Living, Dreaming, Dying, op. cit.*, p. xxxv.

à l'inverse ils s'imaginent qu'une sorte de cataclysme est en train de se produire autour d'eux. Il est possible à une personne de traverser cette phase sans en avoir particulièrement conscience, exactement comme lorsque nous nous endormons. Beaucoup de gens se couchent et s'endorment sans avoir conscience des apparitions hypnagogiques qui se produisent[1]. »

Avez-vous conscience du moment où vous vous endormez ? Et combien de fois avez-vous fait l'expérience de ces rêves dans lesquels vous n'avez pas conscience de rêver et où vous êtes progressivement submergé par ce qui se produit ? Les Tibétains expliquent que le même principe s'applique dans la mort.

Nous avons déjà vu que lorsque nous commençons à mourir, nous passons par toute une série d'expériences psychologiques définitives qui, si on ne les reconnaît pas pour ce qu'elles sont, submergent l'esprit. « Le processus de mourir, et les expériences d'après-vie qui suivent, déclenchent des changements automatiques. Lorsque les éléments commencent à se dissoudre et que la conscience commence à se séparer de ses constituants physiques, des manifestations très puissantes se produisent dans l'esprit de la personne en train de mourir. Une personne non préparée peut ne pas les reconnaître pour ce qu'elles sont, et va certainement éprouver peur et confusion. Mais si elle reconnaît ce qui est en train de se produire, cette reconnaissance réduit la nature autonome de l'expérience[2]. »

---

1. *Ibid.*, p. 74.
2. *Ibid.*, p. 28-29.

Nous avons déjà évoqué cela, j'insiste cependant sur ces mots qui me semblent vraiment importants : *réduire la nature autonome de ces expériences* !

Le simple fait de s'y préparer facilite la tâche. On peut d'ailleurs s'y entraîner chaque soir. Lorsqu'on s'endort, ou durant la période de sommeil. « Au début, le rêve nous contrôle parce que nous ne le voyons pas pour ce qu'il est, nous ne l'avons pas nommé pour ce qu'il est. Alors la conscience est dominée par cet état de rêve qui est autonome. Lorsque nous reconnaissons être en train de rêver, nous sommes libres, et pouvons faire ce que nous voulons, voler dans les airs, passer à travers les montagnes, changer les paysages, changer les monstres en anges, parce que ce rêve est le nôtre, nous avons mis fin à son autonomie et intégré son pouvoir. On peut faire ici un parallèle avec notre expérience dans la vie consciente : lorsque nous ne parvenons pas à regarder nos névroses pour ce qu'elles sont, elles demeurent autonomes et conservent leur capacité de submerger la conscience. Dès qu'il y a prise de conscience, il y a début de liberté. On ne doit pas être surpris que les mêmes principes s'appliquent dans la mort[1]. »

J'ai le sentiment de faire des avancées importantes. Je regarde la perspective de ma mort, et celle des autres, avec moins d'appréhension. La part d'inconnu s'est sensiblement réduite. À mon retour en France dans quelques semaines, Aimée, ma grand-mère, va mourir à son tour, et rejoindre peut-être Florian. Je suis allé toucher son corps froid, comme celui de Lise il y a tant d'années.

---

1. *Ibid.*

Cette fois je savais davantage quoi faire. Et à nouveau, durant la cérémonie funéraire, il m'a semblé la sentir virevolter, les yeux ronds de surprise, sous le plafond de l'église. Nouvel instant de communion aussi bouleversant qu'inattendu.

Face à Ringou Tulkou, alors que l'après-midi avance, je ne cesse d'être stupéfait de l'éclairage que donne le *Bardo-Thödol* sur ce que j'ai vécu en Amazonie. Cependant, je reste encore focalisé sur les descriptions et représentations que donne le texte tibétain. Je ne me verrais pas l'utiliser si, par exemple, quelqu'un de proche était en train de mourir en France. Je serais un peu embarrassé par un texte trop culturellement marqué, des descriptions de figures absentes de notre culture occidentale.

Je m'ouvre de ce point à Ringou Tulkou. Il me fait cette réponse qui résume, à mon sens, toute notre discussion :

— C'est vrai. Ce livre est une description du *bardo*, mais il dit essentiellement la chose suivante : à votre mort, vous traversez trois étapes différentes ; la première, c'est le moment de la dissolution de vos éléments et de votre conscience ; puis ce sont les différents états mentaux dont vous pouvez faire l'expérience ; enfin vous atteignez la lumière. Ces étapes, à mon sens, ne sont pas très différentes quelle que soit la culture, car les éléments se dissolvent de la même manière pour tout le monde. Nous avons à chaque fois ces phases-là. C'est la même chose pour les états mentaux, ils n'ont rien non plus à voir avec la culture. Enfin, lorsqu'on en vient à l'état de claire lumière, peu importe comment on l'appelle, cet état est un peu similaire au sommeil profond, et à moins d'être très expérimenté en méditation par exemple, vous êtes inconscient au moment où vous vous trouvez dans cet état. Alors, oui, au-delà de ces aspects immuables, les expériences diffèrent suivant les personnes. C'est d'ailleurs dit dans le *Bardo*, indépendamment des cultures, l'expérience est différente d'une personne à une autre. Comment cela se traduit-il pour le mourant ? Nous l'avons vu, bien des choses se manifestent : des bruits, de jolis sons, des formes de différentes couleurs, formes soit effrayantes, soit très agréables, mais je dirais que les descriptions des formes perçues n'ont, en soi, pas grande importance. Chaque personne en perçoit des différentes, en fonction de son propre karma, de ses propres tendances, de ses propres habitudes. Le message principal, à mon avis, c'est que quoi qu'il se produise, quoi qu'il apparaisse d'effrayant ou de terrible, il faut comprendre que c'est nous qui provoquons ces visions. Ces images sont l'émanation de nos propres manifestations, les expressions de notre propre esprit. Ainsi, il est inutile d'avoir peur. Et dans le même esprit, si on est confronté à des formes ou des bruits très agréables, très attirants et beaux, il est également dit qu'il ne faut pas s'y attacher parce que c'est aussi la manifestation de notre propre esprit. Une fois que vous avez compris ça, vous avez compris la nature du *bardo*. Aussi les descriptions ne servent-elles pas à grand-chose, c'est ce qu'il faut dire.

J'ai posé cette même question à Tenga Rinpoché quelques jours auparavant. Le *Bardo-Thödol* mentionne quantité de divinités, de déités très spécifiques. Comment doit-on les comprendre lorsque l'on n'est pas de culture tibétaine ou bouddhiste ?

— Ces déités sont identiques en ce qui concerne les causes qui les génèrent, m'a-t-il répondu. Leur apparition est due à une base commune à tous les êtres sensibles. Cette base est commune parce que ce qui apparaît dans le *bardo* sont des aspects de notre propre esprit. Ce que le bouddhisme enseigne, c'est que dans notre esprit existent toutes les qualités du Bouddha, elles sont là comme les bases de notre esprit, et cela est identique pour tous les êtres sensibles. Toutefois, les apparitions des différentes divinités et la façon dont cela se produit dépendent de notre culture individuelle.

Dans le prolongement de cette idée, Chögyam Trungpa replace les descriptions exotiques des textes sacrés au cœur de la psychologie occidentale. Maître de méditation décédé en 1987, érudit et fondateur de l'Institut Naropa, dans le Colorado, Chögyam Trungpa est à l'origine d'un programme de psychologie clinique s'inspirant directement du *Bardo-Thödol*. Évoquant les six types d'êtres sensibles, il écrit : « Ces six sphères servent à décrire les six mondes que nous créons comme autant d'aboutissements logiques des moments de forte intensité émotionnelle que sont la colère, l'avidité, l'ignorance, le désir, l'envie et l'orgueil. [...] Les six mondes forment le contexte où se déroule l'expérience du *bardo*, qui est décrit comme l'expérience d'une zone mal définie. Les *bardos* surgissent en tant qu'expériences intensifiées de chacun des mondes, et fournissent du même coup une possibilité d'éveil ou de confusion totale[1]. »

---

1. Chögyam Trungpa, *Bardo, au-delà de la folie*, Le Seuil, 1995, p. 13.

Tous ces mondes dont on peut faire l'expérience dans le *bardo* sont des extrapolations des états psychologiques humains que l'on rencontre dans la vie, dans la névrose, dans les rêves, durant les sessions d'ayahuasca ou dans la mort.

Seule l'intensité de l'expérience change.

Les formes, les apparitions peuvent être comprises comme des portraits psychologiques. « Les expériences du *Bardo* ne transforment pas notre vie ; elles en sont la continuité[1] », dit Chögyam Trungpa. Dans la mort, vous prolongez la personne que vous êtes. La mort est le prolongement de la vie, rien de plus, rien de moins.

Ce qui apparaît après la mort, ce sont d'autres mondes certes, mais « ces mondes ne sont pas des terres étrangères, ni des situations *extérieures*. Ils sont à l'intérieur de nous : nous avons des problèmes domestiques, émotionnels, spirituels, relationnels. Ils sont tous manifestes ; ils sont là sous nos yeux. Et chacun de ces problèmes a sa porte de sortie[2] ».

La mort, une belle occasion de se regarder dans les yeux.

La mort n'est pas une terre étrangère...

---

1. *Ibid.*, p. 125.
2. *Ibid.*, p. 191.

36

« Thomas »

Réaliser que son rêve est un rêve, voilà l'idée.
Je pense avoir compris.

La mort prolonge ce que nous avons développé,
en avoir peur est totalement contreproductif, quant
à Thomas… il a changé.

Probablement nous attachons-nous à des façades. Mais on les aime, ces façades ! Thomas n'est
plus ici, tel que je l'ai connu jusqu'à trente ans.
Toutefois *il* poursuit son existence. Et nous allons
nous croiser à nouveau. Nous le faisons sans doute
à chaque instant.

Il vit toujours, après avoir laissé son corps
musclé refroidir dans les bras de son frère.

Quelque chose est venu dans le ventre de notre
mère, qui s'est mélangé à ses premières cellules, à
ce fœtus qui se façonnait, s'est calfeutré au fond de
ce nouvel être humain, quelque chose qui perdure
aujourd'hui. Mais mon frère, l'individu que je ser-
rais dans mes bras, dont je sentais la rondeur de
l'épaule, le dos puissant, cet homme n'existe plus.

« Demandez-vous qui vous êtes maintenant que votre corps a évolué. Quelle est cette chose en vous qui n'a pas changé, le "Je" qui observe ce processus[1] ? »

C'est l'aube, l'anniversaire de la mort de mon frère, et je contemple, en paix, un jour nouveau qui se lève depuis une terrasse déserte surplombant tout le village de McLeod Ganj, puis la plaine qui disparaît à l'horizon dans les brumes. Depuis plusieurs jours, je viens là au réveil. Lire en attendant que le soleil monte me réchauffer le visage. Je suis très heureux ici. C'est un endroit merveilleux.

L'horizon rougit, les chiens aboient, le gardien de nuit range son lit avec bruit. C'est l'aube. Hier soir, un immense vol de rapaces a survolé McLeod Ganj. Très lentement, le groupe est passé au-dessus du village, très haut, avec confiance.

Aucun d'entre nous ne va échapper à la mort. Redressez-vous, gonflez vos poumons d'air, respirez, ce n'est pas une mauvaise nouvelle, c'est un moment important de votre vie. Alors ne laissez pas une crainte diffuse envahir votre ventre, prenez votre courage à deux mains, regardez-la dans les yeux. Lorsque l'on se décide à affronter cette peur de la mort, cette « muraille immense du brouillard », elle commence à perdre sa capacité de nous effrayer.

Un jour, alors que je travaillais à ce manuscrit, Thomas s'est soudain trouvé derrière moi. J'en ai

---

1. Ram Dass, *Vieillir en pleine conscience*, Le Relié, 2002, p. 74.

eu la sensation, et ce jour-là j'ai accepté. Je ne le voyais pas, il était différent d'autrefois, et il a posé ses mains sur mon dos.

Thomas est mort un jour mais il n'a jamais disparu, je suis simplement devenu incapable de le voir.

Table

10407

Composition
IGS

Achevé d'imprimer en Slovaquie
par NOVOPRINT SLK
le 22 mars 2016.

Dépôt légal juin 2013.
EAN 9782290072912
L21EPLN001460A005

ÉDITIONS J'AI LU
87, quai Panhard-et-Levassor, 75013 Paris
Diffusion France et étranger : Flammarion